髭とパラソル

barbe et parasol

新井 満

Arai Mann

はじめに

髭とパラソルのためのコラージュ
（355×270mm）

小学生の頃、まわりにいる大人たちはよくこんな質問をした。

「大きくなったら何になりたい…？」

私は腕を組み少し考えるふりをしてから、きまって次のように答えたものである。

「画家になりたい」

私の気持にウソはなかった。本当に心からそう願っていたので中学時代も高校時代も、部活といえば必ず美術クラブに所属し、絵ばかり描いていた。

結果、どうなったかというと…。高校卒業と同時に画家になることを断念した。なぜか？　才能のないことが、よくわかったからである。私は絵筆や絵具のたぐいを全て処分してから、上京した。

＊

歳月が流れた。

画家にはなれなかったが、ひょんなことから文章を書くようになった。文章を書くようになってから五年ほどが過ぎた頃、新潟日報の文化部記者、佐藤和正さんから、こんな依頼が来た。

「ふるさとの新聞に、エッセイを連載してみませんか」

四百字詰原稿用紙にして五枚程度だという。

「ただし、条件があります」

佐藤さんは一呼吸おくと意外なことを言うのである。

「さし絵も描いてくれませんか」

ただの原稿依頼ではなく、さし絵付きの原稿依頼とは初耳である。きわめて珍しいと言うべきだろう。

「へえ…。で、どんな絵を?」

「どんな絵でもかまいません。ジャンルもサイズも技法も全ておまかせしますから、どうぞご自由に…」

「描けるかなあ、自信ないなあ…」

「描けますとも。漱石だって芥川だって達者な絵を描いたじゃありませんか」

漱石や芥川を例にあげられては、ただただ恐縮するばかりだが、佐藤さんの〝叱咤激励〟を聞いているうちに、だんだんその気になってきた。
〈ひとつやってみるか…〉
というわけで、高校卒業以来、実に三十年ぶりで絵筆を持つことになった。

＊

二ヵ月後、次のような連載が始まった。
『髭とパラソル』一九九三年（平成五年）六月〜一九九五年（平成七年）四月。全二十二回。

二〇一一年の今、この連載エッセイを読み返してみると、当時の暮らしぶりがあざやかによみがえってくる。四十七歳から四十八歳にかけての私は、講演や取材のため毎週のように日本各地を飛び回っていたことがわかる。スイスやフランスやノルウェーなど、海外へも出かけている。小説の単行本を出版し、テレビ番組のプロデュースをし、ＦＭラジオ局のＤＪまで始めている。

生まれて初めての写真展を開いたのもこの頃だ。そうであった。画家にはなれなかったが、写真家にはなったのだった。リレハンメル冬季オリンピック大会の仕事と母親の死が重なって、究極の選択を強いられたのもこの頃のことであった。阪神淡路大震災が起きて、たくさんの友人たちを亡くしたのもこの頃のことであった。

良いこともあれば悪いこともあった。人生でもっともめまぐるしく、もっともドラマチックな日々を、ひとりの作家はどのように生きたのか。ふるさとへ送る〝近況報告〟のようなエッセイが、約二年間つづいた。

そして二十二点の不思議なさし絵が描かれたのだった。

＊

再び歳月が流れた。

縁あって新潟日報事業社の社長、五十嵐敏雄さんと会話する機会があった。話がはずんでたまたま昔連載した『髭とパラソル』のことが話題になった時、著名な画家でもある五十嵐さんはふとこんなことを言った。

「あの連載には、たしか絵がついていましたよね」

「ええ」

「あれは、どなたの絵ですか」

「私が描きました」

「ほう…」

五十嵐さんは意外そうな口ぶりで、なおもつづけた。

「新聞紙面ではモノクロでしたが…?」

「原画はもちろんカラーです」

「水彩ですか」

「いや、コラージュというか、何というか」

「サイズは？」

「大きいものから小さいものまで色々です」

「作品は今、どこにありますか」

「たぶん、自宅の書庫のどこかに…」

「いっぺん見せてくれませんか」

日をおかず、五十嵐さんははるばる横浜にある我家にまで見にきてくれた。そうして二十二点の原画を全て見終えると、こう言ったのだった。

「エッセイも面白かったが、原画はもっと面白い。マンさん、このまま眠らせておくのはもったいないですよ。カラー印刷して画文集にして出版しましょう！」

＊

本書は、このような経緯で世に出ることになった。十八年も昔のエッセイが出版されるのは、きわめて異例なことであろう。いや、奇蹟のようなものかもしれない。ありがたい。まことにありがたい…。そんなふうに思っていたら、奇蹟がなんともう一つ重なることになった。本書の原画展が新潟市内で開催されるのである。

『髭とパラソル』出版記念
新井満・原画展
知足美術館（電）025（281）2001
2011年4月1日（金）～5月26日（木）

本書によって興味をもたれた読者諸兄は、どうか美術館の方にもおはこびいただければ、これ以上のよろこびはありません。

著　者

目次

はじめに …… 1
エピソード1＊オンフルールの少年 …… 14
エピソード2＊イブ・モンタンを殺した男 …… 21
エピソード3＊ノルウェーで会ったノラ …… 28
エピソード4＊二つの帽子 …… 35
エピソード5＊デュフィの手紙 …… 42
エピソード6＊月子の運命 …… 49

エピソード7＊正月の準備……56
エピソード8＊月とすっぽん……63
エピソード9＊リレハンメルに咲く花……71
エピソード10＊母親の職業……78
エピソード11＊子供の命名……86
エピソード12＊富岡さんのこと……94
エピソード13＊ハイジに出会う旅……101
エピソード14＊アジアの暑い夏……107
エピソード15＊幸福の条件……114
エピソード16＊鳥海山のある町……121

エピソード17＊帰ってきた星の王子さま……127
エピソード18＊葱買て帰る……134
エピソード19＊吉行淳之介さんの机……141
エピソード20＊トラウマとＰＴＳＤ……148
エピソード21＊牧之と馬琴……155
エピソード22＊大いなる人……162
あとがき……170

ブックデザイン　梨本優子

髭とパラソル

épisode.1

オンフルールの少年

「髭とパラソル」というエッセーを連載することになった。

「変なタイトルなのねえ…」

書斎に入ってきた妻が肩越しに言う。

「ほっといてくれ」

髭（ひげ）とは男のこと、パラソルとは女のことを象徴しているつもりである。人生の途上で出会った様々な魅力ある人々との交流について、つれづれなるままに書いてゆきたいと思う。しばらくの間、おつきあいのほどを。

＊

ところでひげにも色々あって、髭は口ひげ、髯はほおひげ、鬚はあごひげを意味する。念の入ったことに私の顔面には、以上三つのひげが全て揃（そろ）っているのだが、私の敬愛するフランスの作曲家エリック・サティも、髭と髯と鬚の三拍子揃ったひげづらなのである。

サティの人生は、なかなか面白い。

彼は世紀末のパリに生きた。禿頭にいつも山高帽子をかぶり、鼻眼鏡をかけ、黒いベルベットの服を着て、晴雨にかかわらず黒い蝙蝠傘(こうもり)を持ち歩き、モンマルトルの文学酒場・黒猫でピアノを弾いて暮らしていた。

生涯貧乏で独身だったが二十七歳の時、たった一度だけ浮名を流した。相手は子連れの美人モデル、シュザンヌ・ヴァラドンで、後に彼女の息子は成長して画家となり、ユトリロと名乗った。

ドビュッシーやラヴェルなど同時代の音楽家、ピカソ、コクトー、ピカビア、ディアギレフなど多くの芸術家たちに絶大な影響を与えたにもかかわらず、異端のダダイストとさげすまれ、音楽史の片隅に追いやられた。

そんな異国の作曲家に、私はなぜこれほどまで魅(ひ)かれるのだろう。サティが残したピアノ曲の美しさのためか。それもある。伝説と奇行に満ちた波乱の生涯のためか。それもある。だが、無論それればかりではない。

〝不思議なご縁〟

そうとでも外に言いようのない磁力のごとき何かが、私を強く呼び寄せるのだ。

＊

サティはフランスのノルマンディー地方に生まれた。パリをあとにしたセーヌ河は、フランス大平原をゆるやかに蛇行しながら北上し、やがて英仏海峡にそそぎ込む。その河口にできた美しい港町がオンフルールで、サティは一八六六年、この町で生まれ、十二歳まですごした。

数年前『サティ紀行』取材のためにオンフルールを訪れた。その折、少年サティの視点で撮影した膨大なポジフィルムを写真集『オンフルールの少年』として出版したら、ある日、電話が入った。新潟伊勢丹の美術ギャラリー責任者、小口覚さんという人物である。「うちのギャラリーで、オンフルールの写真展を開いてみるつもりはありませんか」

　私が首をひねりながら、なぜ、よりによって新潟で開くのかを尋ねると、

「わかりやすく申しますと、オンフルールがフランスの新潟だからですよ」

　ちなみにノルマンディーは越後平野、セーヌ河は信濃川に相当するのだそうだ。

「ううむ。知らなかったなあ」

「理由はそれだけではありません」

　小口さんはさらに言う。今から六十二年前、J・コクトー著『エリック・サティ』を日本で初めて翻訳したのは誰あろう。わが新潟が生んだ大作家、坂口安吾なのであり、彼はサティの影響を強く受けることによって、傑作『風博士』を書いたのだった。

019　オンフルールの少年

安吾とサティ
（370×450mm）

「オンフルール、新潟、安吾、サティ、そして新井さん。奇しきご縁ですなあ…」

＊

そんなわけで、生まれて初めての写真展を故郷新潟で開催することになった。

写真展の報酬はいらないこと。その代り会場を新潟県中の芸術家と文化人の方々に開放し、交流の場となるようお願いした。読者の皆さん。サティのピアノ曲が常時流れる会場で、ひげづらの私をもし見かけたら、どうか気軽に声をかけてみてください。

épisode.2

イブ・モンタンを殺した男

月に一度の連載だから時間はたっぷりあるだろうとタカをくくっていたら、さにあらず。あっというまに一カ月がたってしまい、今あわててペンを取ったところである。

先月は、ふるさと新潟で初めての写真展が開催されたので、久しぶりに帰省して講演をしたりサイン会に出たりした。

おかげさまで写真展は大盛況で、長谷川市長さんをはじめ一万人近くの市民の方々がつめかけてくれた。ありがたいことである。この欄を借りて皆さんに御礼を申し上げたいと思う。本当にありがとうございました。

＊

写真展が終わった翌日から、スイスとフランスの旅に出かけてきた。その旅の顚末（てんまつ）についてはいずれそのうち書くこととして、エールフランス機内で偶然乗り合わせたのが誰あろう、あのジャン・ジャック・ベネックスであったのだ。

ベネックスといえば、『ディーバ』、『ベティブルー』、『ロザリンとライオン』などを作った映画監督としてご存知の方も多いであろう。ベッソンやカラックスと共に現代フランス映画界を代表する映画人と言っても良い。

ベネックスとは数年前、雑誌の対談で初めて会った。会うなり親しみを感じた。

「どうも初めまして」

「どうもどうも」

「ところで僕ら二人には共通点があるね。髭の形が全く一緒だ」

「そうそう。そしてお互いに、髭の形は同じでも自分の方が相手よりうんとハンサムだぞ…、と内心ひそかに思っているところもね」（二人とも爆笑）

あの対談から三年。まさか高度一万メートルのシベリア上空で再会するとは夢にも思わなかった。横浜で開催された第一回フランス映画祭に、ジャンヌ・モローと共に来日したその帰りだという。

「ところでマンさん、これからどこへ？」

「見ての通り、フランスへ行くところさ」

「何をしに？」

「写真を撮りに」

「写真？　たしかマンさんは小説家だったはずだが…」

「それが最近は写真家になっちゃって。だからこれからはアライマンじゃなくてカメラマンと呼んでくれ」（笑）

「ところが僕も今、写真を撮ってるんだ」

「へえ、それはおみそれしました…」

　相手は何しろ映画監督である。小説家が写真家になるより遥かに意外性は少ない。しかし会話の展開上、一応驚いた表情をしながら、

「で、どんな写真を？」

「見たいかい」

「ああ」

「本当に僕の芸術写真を見たいかい？」

「もちろんだとも」

「よし、それじゃあ僕の作品を見せよう。君の作品も見せてくれるよね」

誤解のなきよう念の為に書くと、私は全くフランス語を解さないし、ベネックスもまた日本語を一言もしゃべることができない。二人の会話は、彼の隣に座っていた仏語ペラペラの美しい日本人ガールフレンドが全て同時通訳してくれたのである。

＊

一週間後、パリのクリシー広場近くにあるベネックスのアパートで彼に会った。ベランダに出ると、遠くにエッフェル塔がそびえ立っている。私が持参した写真集『オンフルールの少年』をプレゼントすると、ベネックスは大判の紙焼き写真を出してきて見せてくれた。

荒涼とした風景の中に一台の車。その運転座席に一人の老人が眠るように死んでいる。どこかで見た顔である。誰だっけこの俳優。

「イブ・モンタンさ…」

最新作『ＩＰ５』のラストシーンを監督みずからがスチール撮影したものだという。しかもイブ・モンタンは、映画のストーリーを地で行くように、この撮影が終わって二週間後、心臓麻痺(まひ)で急逝してしまった。

「モンタン最期のポートレートさ」

「ううむ」

「欲しいかい？」

「欲しい欲しい」

というわけでこの写真は今、我が書斎の壁に飾られている。

ベネックス邸のベランダから見えるパリ
（195×235 mm）

épisode.3
ノルウェーで会ったノラ

ノルウェーに行ってきた。
ノルウェーという国名を聞いて読者諸兄はどんなイメージを
思い浮かべますか。

「あら、涼しそうな所で、素敵じゃない！」

うちの奥さんなぞはそう言ったきり、あとは何の感慨もなさそうであった。夏涼しいということは、冬はうんと寒いわけで、欧州最北の雪国といったところが、おおかたの日本人のノルウェー観であろうか。

スカンジナビア半島西側に位置し、おたまじゃくしが逆立ちしたような形をしたその国土は、日本列島から四国をとったくらいの広さ。内陸の奥深くまで切り込んだフィヨルド（何千年もの氷河の浸食によってできたU字谷に海水が浸入したもの）には、エメラルドグリーンの水が満々とたたえられている。

白夜の夏と、オーロラの冬。

ナンセン（北極探検）と、アムンゼン（南極探検）という二大探検家を生んだバイキングの国…。数え上げれば色々あるが、お若い読者の中には、村上春樹の小説『ノルウェイの森』

を思い起こす方も少なくないかもしれない。もっともあの小説の舞台は、ノルウェーとは全く関係なかったけれど。

総人口四百二十七万人。十万人を越す都市は、首都オスロを含めて三つのみ。国土の三分の一は北極圏に属している。

＊

成田からジャンボ機でデンマークのコペンハーゲンまでが約十時間。ここで小さなジェット機に乗り換えてオスロまで約一時間。ノルウェーへの直行便は、まだ飛んでいないのだ。待ち合わせの時間を含めると、オスロまで十四時間もかかったことになる。さすがに疲れ果てた。ノルウェーは、やはり遠い。

スカンジナビアホテルの十六階に投宿。夕方になって暮れそうで暮れない窓外を眺めると、右手、森の中に王宮、正面前方に市庁舎、そして左手にアーケシュフース城塞が遠望でき、さらに目をこらして見ると、ビル群と樹木の彼方(かなた)に何か光るものがある。それがオスロ湾の海であることがわかるまで、数秒かかった。波一つない、まるで鏡面のような海が息を殺してうずくまっていた。

繁華街のカールヨハンナ通りまで、散歩がてら夕食をとりに出かけた。まだ八月だというのに肌寒い。上着の下にセーターを着込んだ。もしやと思って持参した防寒具が、さっそく役に立った。

国立劇場わきのレストランでタルタルステーキなどを食べ、外に出ると雨が降っている。ホテルまで、濡れながら帰った。

そういえばガイドブックにはこんな記述もあった。

「ノルウェーは一年を通じて雨や雪の多い国です。だからお弁当を忘れても、蝙蝠傘（こうもりがさ）を忘れてはいけません」

この辺はちょっと新潟に似ていなくもない。

＊

ノルウェーが生んだ芸術家といえば、『人形の家』の作家イプセン、作曲家グリーグ、彫刻家ヴィーゲラン、そして画家ムンクの四人だろう。少年時代から私はムンクの絵が大好きで、実は今回の旅の目的の一つに本物のムンクを見てみたい気持があったのだ。

翌日、ムンク美術館へ行く。

あまりにも有名な『叫び』や『病める少女』など、教科書や画集でおなじみの作品が無雑作に展示されている。モチーフはいずれも孤独と不安、さもなければ狂気と絶望で、見ているうちに暗く重い気分になってくる。

北欧一の美男とうたわれたにもかかわらず、ムンクは女運の悪い人生をおくった。五歳、母が病死。十四歳、愛していた姉が病死。三十歳、人妻と恋に落ち三角関係にまきこまれる。三十九歳、長く恋愛関係にあった富豪の娘から結婚をせまられる

ムンク美術館のマドンナ
（380×525 mm）

が拒絶。ピストル自殺を図った彼女を止めようとしてピストルが暴発。左手の指の一部を失う。四十五歳、精神病院に入院。未婚のまま八十歳で死んだムンクは、こんな言葉を残す。

「女は、男を滅ぼし、死に至らしめる」

＊

その晩、ノルウェー国営放送局のテレビプロデューサー、モネ嬢と会い、夕食をとりながらムンクの話をした。彼女は即座に、

「あなたは間違っています。あくまでもムンクは例外で、真実を言うならば…」

彼女は嫣然（えんぜん）と微笑しながら、

「女は、男を勇気づけ、生を付与する」

さすが『人形の家』の主人公ノラの末裔（まつえい）だけのことはある。言うことがきっぱりしている。

épisode.4

二つの帽子

もう二十年ほど昔の話になるが、広告代理店のサラリーマンをしながら突然シンガー・ソングライターになった頃のこと、新聞社や雑誌社の記者から取材を受けると、よく、

「二足のわらじですねえ…」

と言われたものである。

会社員と歌手という異業二種類の顔を持つことから、記者諸君は他意もなくそのような感想をもらしたのであろうが、では〝二足の草鞋(わらじ)をはく〟という言葉の本当の意味をあなたがたは知っているのですか？　と尋ねると、これがほとんどご存知ないのである。

〝二足の草鞋〟とはいかなる意味か。その語源はどうやら江戸時代までさかのぼるらしいのだが、博徒が十手を握ることなのだ。つまり、犯罪者が警察官をも兼ねること。持ってもらっては大いに迷惑な二つの顔を持つことを非難の意味をこめて〝二足の草鞋をはく〟と称したのだった。

＊

だが言葉とは、時代と共に変容するものである。そう目くじらを立てるほどのことではないのかもしれない。

〝二足の草鞋〟をもっとゆるやかに解釈して、一見両立できそうもない職業や立場や芸術表現を同一人物が兼ねると考えるならば、古今東西、そのような人物は枚挙にいとまがないわけで、例えば画家であると同時に科学者であり数学者でもあったのがレオナルド・ダ・ヴィンチ。画家であり彫刻家であったミケランジェロは、美しいソネットも作曲した。

一芸に秀でるのは当たり前で、いかに優れた第二芸、第三芸を持つか、それがルネサンス時代のパトロンたる君主から要求される芸術家像だったのだろう。

〝アングルのバイオリン〟という言葉をご存知であろうか。フランスの大画家アングルは大の音楽通で、トゥールーズ市の交響楽団のバイオリン奏者をつとめたほどの人物であった。アングル以後、素人とは思われぬ玄人はだしの余技のことを〝アングルのバイオリン〟と呼ぶようになった。

アングルのバイオリンの系譜につらなる人々を次にあげてみよう。画家パウル・クレーと画家ラウル・デュフィは、いずれもバイオリンの名手だった。物理学者アインシュタインもバイオリンとピアノを上手に弾いた。

どちらかといえば画家は音楽を愛し、作家は余技に絵を描くことを好むようである。『レ・ミゼラブル』の作者ヴィクトル・ユーゴーの水彩画、政治家でもあった作家ゲーテのドローイングなど、あまりの素晴しさに仰天してしまう。

ヘルマン・ヘッセやヘンリー・ミラーの水彩画もなかなかなもの。ウィリアム・ブレイクやギュンター・グラスの絵も良い。我が国では芥川龍之介の書画、詩人、金子光晴の水彩画、池波正太郎の絵、宮澤賢治の水彩画と、これまたきりがない。池大雅や与謝蕪村を出すまでもなく古来より、文人に書画は切り離せないのである。

　ちょっと変わったところでは前衛音楽家ジョン・ケージの菌類研究、映画監督、黒澤明の絵、ホラー作家スティーブン・キングのロックギター、ヒトラーやチャーチルの水彩画などなど。しかし余技とは、あくまでも本技あっての余技なのである。アングルのバイオリンの一つや二つ、あれば楽しいにちがいないが、なければ困るというわけではない。

　その点、ジャン・コクトーという人物は、不思議な人生をおくった芸術家であった。詩人で小説家で脚本家で画家で彫刻家で陶芸家で舞台演出家で衣裳デザイナーで映画の監督でプロデューサーでもあった。アングルのバイオリンどころの次元ではないのである。

　最後に自分のことを書くが、現在の私は作詞家、作曲家、歌手、テレビ番組のプロデューサー、脚本家、ビデオ作家、小説家、写真家ということになっていて、それでもまだ足りず死ぬまでには是非とも画家になりたいと思っている。目ざすはアングルではなく、コクトーというわけだ。

＊

私と同様、会社員をしながら小説を書いている逢坂剛さんと対談したとき、逢坂さんからこんな提案があった。

「ねえマンさん。お互い二足の草鞋には食傷したから、言い方を変えることにしましょう」

「ほう…。それでいったいどんな？」

「ツー・ハット」

二つの帽子。なるほど私たち人間は麦わら帽子や野球帽子からシルクハットまで、場所柄や時間や季節に応じて実に多くの種類の帽子を持っている。二つ以上の帽子を持つことには、何の不思議もない。いや、むしろ自然なのではなかろうか。

ジャン・コクトーの空飛ぶ帽子
（390×535 mm）

épisode.5
デュフィの手紙

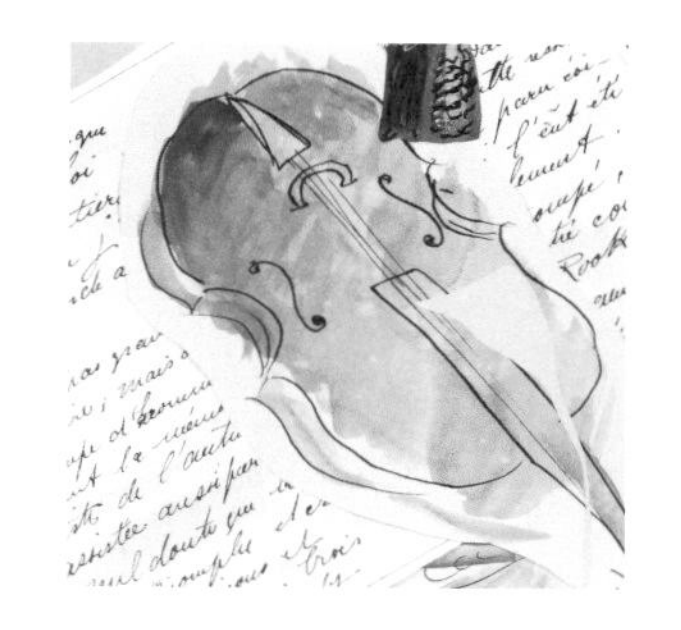

書斎の机に置かれた一通の手紙。
封筒は既に失われていて中身しかないが、二十七・五センチ×十八センチの薄い便箋に青インクでびっしりと、おもてにも

裏にも書かれている。フランス語である。この手紙が書かれたのは一九二四年の三月十八日というから、今から七十年近くも昔のことになる。差し出し人の住所は、パリ第十八区、ゲルマ小路の五番地。差し出し人の名は、ラウル・デュフィ。

ピカソやマチスやシャガールたちとほぼ同時代を生きた画家デュフィは、装飾美術のジャンルにも手を染めていたことから長いあいだ不当に低く評価されてきたふしがある。しかし近年ようやくその真価がみとめられ、やがて二十世紀を代表する画家の一人となるであろうとまで言われだした。

そのデュフィが、この手紙を書いたのは四十六歳の春。あと二カ月ほどで四十七歳になろうかという時のことである。印象派からフォービズム（野獣派）を経て、アポリネールやマラルメの挿絵版画を作ったり、コクトー作『屋根の上の牛』のための舞台美術を制作したり、ヴァンスやシシリー島を旅行して強

デュフィの手紙と青いヴァイオリン
(380×485 mm)

烈な太陽光線とあざやかな色彩に目ざめ、いわゆるデュフィ・スタイルを確立した直後の頃のことで、中堅の人気作家になりかけてはいたが、まだ大画家では決してなかった。

　現在の私とほぼ同年齢である一人の画家が書いた手紙というのは、それだけでも興味深い。少し読んでみよう。どうやらデュフィは、美術関係の仕事に従事している友人のヴォーセルから来たある質問に対して、返事をしたためたものらしい。即ち、人気の女流画家ポングー夫人の新作が、英国の著名画家ルーカー（一七三四―一八〇二）の作品とそっくりであるという一種のスキャンダルがあって、「ポングー夫人の新作はルーカー作品の剽窃である」という書面にデュフィ自身がサインをしたのか？

　と尋ねてきたのだが、それに対してデュフィは次のように答えている。

〝親愛なるヴォーセル君。僕が言いもしないことをあたかも言ったように思わないでください。「ポングー夫人の絵は彼女のものではない」などという文章にサインしたことは一度もありません。ある人物からある日、ルーカー作品を二〇点ばかり見せられました。それらが、サロン・ドートンヌ（秋の展覧会）に出品されたポングー夫人の新作と部分的に、様式といい画風といいそっくりだとは思わないか確認してほしいと頼まれたのです。見てみると確かに似ているように思われましたので、似ているねと答えました。要するにただそれだけのことなのです。僕の立場にいたら、君だって同じように答えたことでしょう。

ところがですよ。もしその人物が、ルーカー作品だと言いながら実はポングー夫人のものを見せていたとしたら、どうなりますか。彼は僕をだましたことになりますね。世の中には画家の死後の名声を擁護しようという人々がいて、他方には友人たちに応援されている女流画家がいるというわけです。本当のことは、いくら疑ってみてもわかるものではありません。しかし、最後の最後には真実こそが勝利する…。これだけは疑いのないことで、僕が常に愛し、望んでいるのも実はこのことなのです。友人の君なら、僕の言うことを信じてくれますよね。ラウル・デュフィ〟

一九五七年に七十五歳で死ぬまでデュフィは、人生を愉しみ謳歌する人々の幸福な姿ばかりを飽くことなく描きつづけた。青い海で水浴する人々。ヨットレースや競馬に打ち興ずる人々。コンサートやカクテルパーティに集う人々…。少年時代からのデュフィ好きが高じてとうとう、生地ノルマンディから終焉の地コートダジュールまで、デュフィ全生涯を辿る旅をしてきた。その折の紀行文を雑誌に発表したら、ある日突然、見知らぬ画廊主がこの古手紙を持ち込んできたというわけである。

「もちろん、ただじゃないよね」

「はい。パリ近代美術館に展示されても不思議ではない貴重な手紙でございまして。しかし新井様のことですから特にお安くさせていただきたいと考えておりますが、はい」

「ううむ。真贋の方は、大丈夫なの？」

「本物と思えば本物、贋作と思えば贋作ですが、真実は必ず勝つのでございます」

なんだかデュフィが書いた文面と同じような具合になってきた。しばらく預かることにしたこの手紙、求めるべきか返すべきか、はてさてどうしたものだろう…。

épisode.6

月子の運命

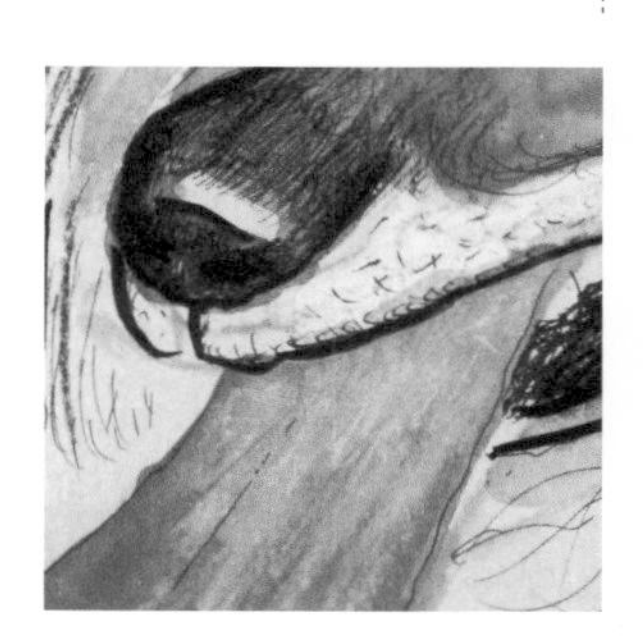

月子というのは、縁あって我家にもらわれてきて養女となった雌犬のことである。彼女は一九八九年九月十七日、横浜に生まれた。当年とって四歳と二カ月。人間の年齢でいえば二十八

歳というところか。

胴長短足のミニチュアダックスフンドで、体長は約三〇センチあるかないか。ちょっとした猫よりもまだ小さい。全身まっ黒な長毛でおおわれているのはよいが、ところどころカールしており、これがためにいくらブラッシングしても整髪できず、ほつれ乱れた黒い毛糸玉のようである。左右の耳の長さが不揃いで、おまけに歯並びも悪い。一応血統書つきではあるが、これほど不細工な犬も珍しいのではなかろうか。

趣味は、ひたすら食べてあとは寝ること。しかも両手両足を天井に突き立て仰向けに寝るのである。一日中ごろごろしているばかりで、番犬の役には全く立ちそうもない。

＊

さて我家には子供が三人いるのだが、その一番下の娘がある日、こんなことを言った。

「ねえねえお父さんとお母さん。おねがいだからもう一人赤ちゃんを産んでくれない？」

「どうしてさ」

「だって妹が、ほしいんだもん」

お姉ちゃんには私という可愛いい妹がちゃんといるのに、私にいないのは不公平だと思う。だから私の妹になる可愛いい赤ちゃんを産んでちょうだい、と訴えるのである。

私たち夫婦は思わず顔を見合わせ、それから丁重にお断わりをした。残念ながら君の妹となる赤ちゃんを新たに作る気持もなければ、予定も全くないのだよ。

「なあんだ、つまんない」

彼女は一晩考えた。そうして翌日、今度は兄や姉に相談を持ちかけ協議の結果、人間の赤ちゃんのかわりに犬の赤ちゃんを飼うことに方針を転換したのだった。犬の赤ちゃんを買うのは、容易なことではない。だが、三人が力を合わせておこづかいをためれば、一年くらいで何とかなるのではないか…。

＊

そのペットショップは通学途上にあった。三人の子供たちは学校帰りに時間を定めては同店に立ち寄り、将来、買い求めるべきペットを物色したのであった。

半年がたった。ペットショップの商品たちは激しく様変わりする。可愛いい犬ほど買われるのも早く、たちまち姿を消してしまう。ところが、いつ行っても売れ残っている犬がいた。店の隅で黒いぼろ雑巾（ぞうきん）のような姿で仰向けに寝ている一匹の雌犬。

一年がたった。ようやく犬一匹を買えるお金がたまった。三人はいさんでペットショップにおもむき、おめあての白い小犬を買おうとした。その瞬間である。例の黒犬が薄目を開けて、一声「ワン！」と吠えた。

「あれまあ、あの犬、まだいたんだ」

「この犬はね、明日が誕生日なのよ、かわいそうにねえ…」

なぜ、かわいそうなのか。ペットショップの女主人いわく、生後一年たっても売れぬ犬は処分してしまうのだという。女主人のその一言に仰天し、深く悲しんだ子供たちは、突如として博愛精神に目覚め、再び方針を転換することにした。

即ち、一年間こつこつためたなけなしのおこづかいを全部はたいて、あえて最も条件の悪いその売れ残り犬を買うことに決めたのである。わずか一日違いで、我家の養女となった月子。九死に一生を得るとは、まさしくこのようなことを言うのであろう。

＊

はてさて、その月子がその後、どのような運命をたどったか。

まさかあの不細工な小犬が、こともあろうに世界で初めてのD

J犬になろうとは誰が予想したであろう。

「今晩は、アライマンです。そして僕の目の前に座っているパートナーは、犬の月子。さあ月子、皆さんにごあいさつをどうぞ！」

「ワン、ワワーン！」

まあこんな調子。月子は今、ＦＭ横浜（ハマラジ）毎週日曜日夜八時から放送されている一時間の音楽番組〝アライマンの海辺の生活〟にレギュラー出演し、私よりも人気を集めているのである。毎回、月子あてにたくさんのファンレターが届く。先日は、とうとうお見合い写真までが届いた。

ラジオ放送を聞いたペットショップの女主人が感慨無量の表情で呟いたという。

「人間の、いや犬の運命って、本当にわからないものねえ…」

同感である。

月子の肖像
（420×595 mm）

épisode.7

正月の準備

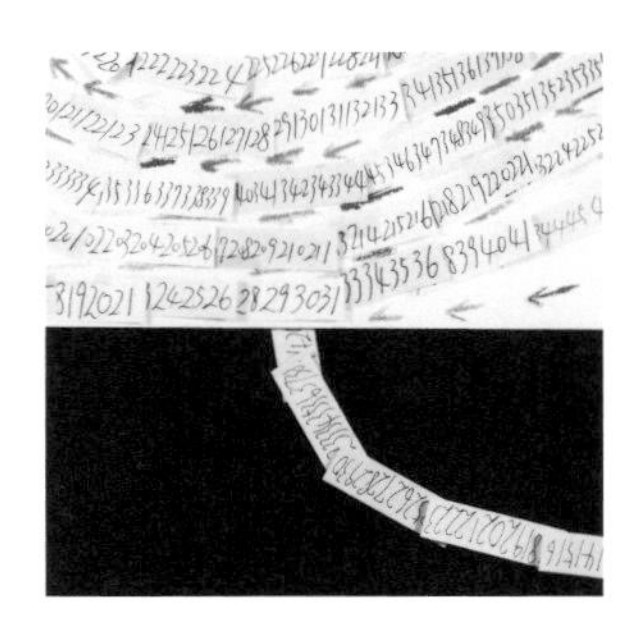

一年が終わろうとしている。今年の夏は、冷夏であった。うんざりするくらい雨が降りつづいて、サマースーツをいくらも着ないうちに、もう秋が来ていた。冬になって寒くなったかと

いうと、そうでもない。わが息子などは、いまだに短パンツ・Tシャツ姿で家の中を歩いている。「そんな格好で、寒くないのか」と尋ねたら、

「まだ暑いくらいですよ。父上」

平気な顔で答える。クリスマスも近い、こんな季節だというのにである。季節を実感しにくい、まことに妙な一年であった。それでなくても銀座の百貨店などは、十一月に入ったとたん、ビルの壁面に巨大なクリスマスツリーを飾り立てたし、雑誌の編集者たちは電話をかけてきて「三月号のしめきりは、いついつでございますのでよろしく」などと言う。これではいよいよ季節感は混乱するばかりであるなあ…。そう思いながら冷蔵庫の扉を開けると、大好物の苺が皿に盛られている。昔は初夏の楽しみであったこの果実も、今はほぼ一年中食べることができる。嬉（うれ）しい反面、なんとなくつまらない気分でもあるが、

指先でつまみ、ぽんと口の中に放り込む。

＊

何をして何をしなかったか。この一年を振り返ってみようと思う。（一月）東京にて、私の十二冊目の単行本『朝のパンセ』出版記念パーティー。山形県鶴岡にて、森敦全集発刊記念庄内のつどい参加。京都山崎へ国宝茶室・待庵の取材。（二月）八海山麓トミオカホワイト美術館にて富岡惣一郎氏、高橋アキ氏とトークショー〝白の世界を語る〟に出演。（三月）岐阜にて、日本ペンクラブ平和の日の基調講演とシンポジウム参加。大岡信、高田宏、奥本大三郎、俵万智の各氏と。テーマは〝平和の日に自然を考える〟。（四月）テレビ東京のドキュメンタリー番組『人間劇場』プロデュース。新直木賞作家・出久根達郎さんの一千日。（五月）文庫版『新井満対談集・足し算の時代　引き算の思想』出版。（六月）新潟伊勢丹にて〝オンフルールの少年〟写真展開催。ネクスト21にて第一回安吾大学基調講演。荻野アンナ氏と。スイスのチューリヒに旅行。（七月）フランスのノルマンディーとコートダジュールに旅行。画家デュフィ取材の為。（八月）鶴岡にて〝出羽三山開山千四百年記念シンポジウム〟講演。ノルウェーのオスロ旅行。山形県朝日村にて月山祭講演。（九月）すばる文学賞審査会。瀬戸内寂聴、石原慎太郎、宮本輝の各氏と。兵庫県有馬にて講演。（十月）NHKテレビ特番〝ジャン・コクトーへの旅〟出演。ゲストは他に横尾忠則、ジュリー・ドレフェス、もっくん、秋山邦晴の各氏。岡山にてJC全国大会記念〝地球にやさしいコンサート〟講演。ハマラジ・FM横浜にて新番組〝アライマンの海辺の生活〟放送開始。わが家の愛犬・月子と共にDJを担当。（十一月）函館にて講演。ニセコ、小樽旅行。東京四谷の聖イグナチオ教会にて講演。長岡にてサイエンストーク〝宇宙とミジンコ〟出演。

東京にてハイビジョン地球環境映画祭審査。新発田にて第四銀行創立百二十周年記念講演。高田にて高田文化協会結成三十周年記念講演。名古屋にて〝全国生涯学習フェスティバル・デジタル時代の芸術と文化〟講演。浅田彰氏と。（十二月）来年二月にノルウェーで開催される冬季オリンピック閉会式・長野オリンピック・デモンストレーションの総合プロデューサーとして記者会見。

この他に多くの人々と対談し、美術展やパーティーに行き、数十本の映画を見、百冊以上の本を読み、ウイークデーの九時半から五時半までは築地にある会社に通っている。

「お忙しそうですねえ…」

よくそう言われるが、不思議に「忙しい！」という実感はない。好きなことを楽しみながらやっているだけなのだ。一年を振り返って書きだしてみると「ああ、いろんなことをしたなあ」

と他人事のように思うだけ。

＊

一年は三百六十五日である。八千七百六十時間。五十二万五千六百分。秒で計算すると三千百五十三万六千秒ということになる。長いようでいて、短いものだ。これだけ数えたら一年は終わるわけだから。いやはやなんとも。

さて来年はどんな年になりますか。とはいえ、「正月は、あなたまかせよ、年の暮」で、来年のことは来年になってみないとわからない。結局、あなた（神さま仏さま）まかせになってしまうに違いないのではあるが。この文章をもって季節のご挨拶としたい。読者の皆さん。幸福な年末と健康な新年を！

零からの出発
(420×595 mm)

épisode.8

月とすっぽん

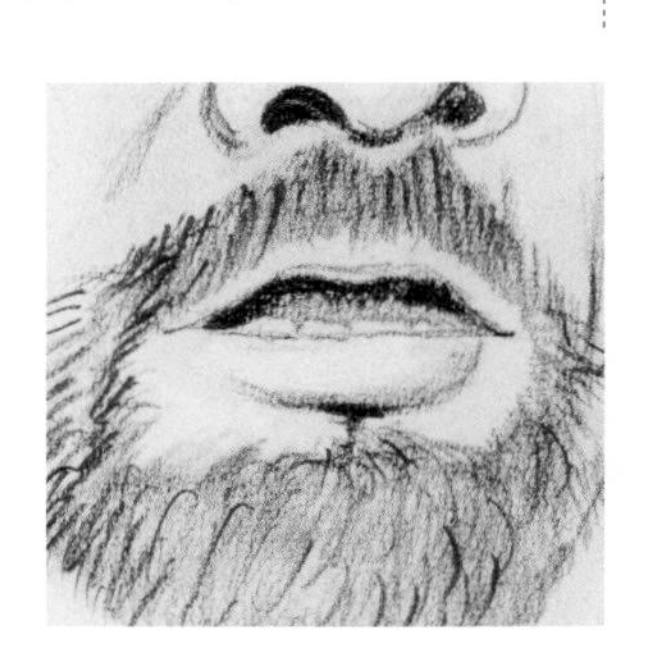

年が改まり新年となった。屠蘇（とそ）など呑（の）んで気分良くなったら、柄にもなく歳時記を開いてみたくなった。虚子の句にこんなのがある。

去年今年
　貫く棒の如きもの

こぞことしと読む。虚子七十六歳の時の作で、昭和を代表する名句だそうである。信じた自分の道をわきめも振らず生きぬこうとする意思の強靭（きょうじん）さを、棒のかたちに託したのだろうか、思わず頭が下がるが、意思薄弱な当方としてはいささか疲れる。同じ虚子に、

一月や
　去年の日記なお机辺

というのがあって、のんびりとしてどこか間の抜けた正月の気分には、こちらの句の方に親しみを感じる。元旦に届けられた年賀状の枚数をしるしておこうと日記帳を開いたら、去年と同じ枚数だったので驚いた。もっと驚いたのは日記が三月あたりで中断されていること。きっと今年もそんなことになるので

あろう。三日坊主ならぬ三月坊主の繰り返し。

　誕生月である五月になると、当年取って四十八歳となる。本年の干支である戌（いぬ）は私の干支でもある。ものの本によれば犬は、人間にとって最も古くからつきあいのある動物だという。オオカミが家畜化されて犬になったのが三万年前というから、人類史はそのまま犬との共生史でもあるわけだ。

　猟犬、牧羊犬、警察犬、盲導犬、ペットなど、私たちのまわりには四百種以上の犬たちがいる。聴覚は人間の数倍の能力があり、嗅覚にいたっては一千万倍もの能力があるという。汗のひとしずくに含まれているほんのわずかなにおいの成分から、対象を正確に識別するのである。

　ペット犬を飼い始めてから急に元気になった障害者や高齢者の報告が多いそうだ。科学的には未解決の、不思議なふれあい効果があるらしい。そういえば我が家に犬の月子が来てから、

子供たちの兄弟喧嘩（げんか）がめっきり少なくなった。次はすり江の句で、

ねこに来る

賀状やねこのくすしより

この筆法にならえば、「犬にくる賀状や犬のくすしより」となる。実際、数百枚の年賀状の中には月子あてのものもあって、それはかかりつけの獣医からのものであった。

数年前から忘却がひどくなって、それは自分だけのことかと思っていたらさにあらず、実は俺もさという友人があそこにもここにも。要するに歳を取ったのである。

もの忘れの筆頭は漢字で、ついきのうまで雑作もなく書けていた文字がどうしても思い出せない。辞書を引く回数も増えた。だが、いたずらに忘れるばかりでは淋（さび）しいし芸もないから、ひらきなおることにした。守りを攻撃に転じると言えば大

げさに過ぎるが、一年に一文字ずつ、恐らく誰も書けないであろう超絶難漢字をあえて選んで、正月に書初めするのである。一昨年は「ばらとゆううつ」であった。薔薇も憂鬱も読むのは容易だが、いざ書こうとするとむずかしい。

　昨年の正月は「ひんしゅくをかう」を書初めした。おい、君は「ひんしゅく」という漢字が書けるかい？　書けんだろうなあ、と言っては顰蹙を買っていたわけである。そんなことを吉行淳之介さんに話したら、手紙が来て、「超絶難漢字を一年に一ケというのはシャレているし、それが若い証拠。来年の課題を一つ。月とすっぽん…」

　というわけで本年の書初めは「鼈」であった。

＊

当連載エッセイ「髭とパラソル」の挿絵は、実は私が描いているのだが、これも描き初めすることにした。干支である犬の顔でも描こうかと思ったが、前々回の挿絵に描いてしまったからやめにした。かわりに威厳のありそうな男の顔を描くことにした。つまり自画像である。

一時間ほど鏡とにらめっこしたら、奇妙な顔ができあがった。薄くなった髪、濃いが乱れ伸びた不細工な髭、鷲鼻、やせこけてくぼんだ頬、大きな耳と小さな唇、左右アンバランスな眉毛…。まるでムンクの叫び男か、ルオーの苦悩するキリスト像に眼鏡をかけさせたようではないか。「全然似ていない自画像を描いてしまった」とくさっていたら、肩越しに覗き込んだ妻が感心したような声で、「あら、そっくり！」

いやはやなんとも。

ふだんは新潟にいる老母を横浜の我が家に呼んで、この正月は長閑にすごした。近所の神社に詣でた折、私が詠んだのが次の駄句。

九十一歳の
母とゆくなり初詣

耳の大きな自画像
(420×595 mm)

épisode.9
リレハンメルに咲く花

先週、ノルウェーから帰ってきた。十日間ほど日本に滞在して、再びノルウェーに旅立つ。この原稿が新聞に掲載される頃、私はノルウェー・リレハンメルにいる筈である。

冬季オリンピック真最中のリレハンメルで、いったい何をしているかというと、もちろんスポーツが何よりも苦手である私が、選手として出場するわけではない。そこで、あるイベントのプロデュースをするのだ。

　リレハンメル・オリンピックの会期は十六日間で、その閉会式は二月二十七日・日曜日に行われることになっている。閉会式は全部で一時間くらいのものだが、その最後の約五分間をもらって、

「世界中の皆さん！　四年後は、いよいよ日本の長野です。皆さんの来日を心からお待ちしています！」

　そのようなデモンストレーションというか、まあ一種のＰＲを長野オリンピック組織委員会が行うのであるが、そのイベントの総合プロデューサーという大役が、どういうわけか私のところに来てしまった。

長野オリンピック・デモンストレーションのテーマは〝花〟。このテーマにもとづいて、演出監修を勅使河原宏さんにお願いした。勅使河原さんといえば、『砂の女』や『利休』などの作品で世界的に名高い映画監督であり、草月流の家元でもあるから、今回のテーマにはうってつけと言って良いだろう。演出は、勅使河原監督の右腕と呼ばれている川名哲紀さん。

テーマソングの作曲をしてくれたのは三枝成彰さんで、会場に流される『小諸馬子唄』を歌ってくれるのは、おおたか清流(しずる)さんである。おおたかさんの歌声と共に登場するのが、たった今、東洋の果ての国、日本から飛来した雪の花の精で、これを演じるのが当年とって二十一歳、三重県伊勢市出身の広田瑞穂さん。勅使河原監督によって発掘され大抜擢された身長一七二センチのシンデレラガールである。衣裳デザイナー、桜井久美さんの東洋的な衣裳や、四方義朗さんのユニークな振付もきっ

スペース・オペラの開幕
（420×595 mm）

と話題を呼ぶに違いない。

閉会式の模様は国際映像によって地球上の十億人以上の人々が見るだろうといわれている。現地時間で二十七日の夜八時からということは、八時間の時差のある日本では、二十八日、月曜日の早朝ということになる。興味のある読者諸兄は、どうぞごらん下さい。画面にはあらわれないが、閉会式が行われるアリーナの片隅に、きっと私もいる筈だから。

＊

さて先週、ノルウェーからの帰途、フランクフルトを経由して、成田行きのジャンボジェットに乗り込んだときのことである。夕食も取り、機内映画を見終わり、アイマスクを付けて眠っていると、私の肩を揺り動かすものがある。〈誰だ！　人がせっかくいい気持で夢を見ているというのに！〉半分腹を立てて起き上がると、親しくなっていたパーサーが、耳もとでささやくのである。

「お客さん。今、ものすごくきれいなオーロラが出ていますよ…」

それなら話は別だ。実は、一度でよいからオーロラというものにお目にかかりたいものだと期待しながら、リレハンメルの夜空を眺めつづけたのだが、ついに見ることはできなかった。それがまさか帰りの飛行機の中から見られるとは…。私が早速、窓のシェードを上げようとすると、パーサーは首を横に振って、その窓はスペース・オペラを見物するには小さ過ぎるから、黙って私のあとをついてこい。そういうのである。

いぶかりながらも、彼のあとをついてゆくと、案内されたのはなんとコックピット。

「ここからなら、思う存分に見られますよ」

眼下にシベリア大平原が広がっていた。高度一万メートルの上空である。操縦席の北側に向かって大きく開かれた窓の彼方を見ると、思わず私は息を呑んだ。生まれて初めて目のあたりにしたオーロラを、どのように表現したらよいだろう。

宇宙から吊り下げられた天使の外套。いや、もっと透明感のある薄絹に似た巨大な帯が、エメラルドグリーンに輝きながら夜空いっぱいに広がっていたのである。しかもその帯は、刻々と変化しつつ、右に左に走るのだ。

「あっ！　また走った！」

この道二十年のベテランだという機長も、これほど美しいオーロラは初めて見たという。

épisode.10

母親の職業

五輪の仕事でノルウェーに出発する日の朝、空港へ行くためにタクシーを呼ぼうとして電話機に手を伸ばしかけた丁度その時、電話のベルが鳴った。電話の声は兄で、しかも、「母、危篤」

の報せであった。私が自分の耳を疑ったのは言うまでもない。この正月は母と共にすごし、百人一首などして愉快に遊んだばかりであった。風邪を引いて体調を崩していたとはいえ、まさかそれが命取りになるとは夢にも思わなかった。兄の言葉に私は動転し、目の前が真暗になった。

その時、私には取るべき道が二つあった。仕事の鬼となって、母の病状を案じながらも予定通りノルウェーに向けて飛び立つ。これが一つ。もう一つは全てのスケジュールをキャンセルして故郷新潟に急行する。ノルウェーには十億人の人々が注視する、恐らく私の生涯でも二度とないであろう記念すべき仕事が待っていた。一方、新潟で待っていたのは、たった一人の母である。

どちらを選択すべきか？

選択の余地などあるわけもなかった。躊躇せず私は後者を選び、新潟行きの超特急あさひ号に飛び乗った。

しかし、間に合わなかった。母の顔にかぶされていた白布を取ると、まるで昼寝でもしているように安らかな表情ではないか。母の肩を揺さぶりながら、「母さん。起きてくださいよ。そんな冗談は、もうやめにしてくださいよ。おねがいだから目蓋を開けてくださいよ！」

何度も何度も叫んだ。しかし彼女は二度と目を覚ましてはくれなかった。急性心不全。享年九十一。

私の母、新井ヨシノは明治三十五年六月、新潟市内寄居町に生まれた。大正九年、十八歳の秋に助産婦試験に合格した。高橋産婦人科病院に勤務したのち独立し、自宅で〝産婆〟を開業した。いわばキャリアウーマンの元祖のようなものであり、職業婦人としての顔は最後まで持ちつづけた。そして日本助産婦協会新潟県支部に所属する現役の助産婦として死んだ。約七十年にわたる助産婦業で取り上げた赤ん坊の数は、いったい何千人、いや何万人にのぼるのであろう。一度訊ねたことがあったが、「あんまり多過ぎて、自分でもようわからん」と母はただ微笑するばかりだった。

三十六歳でお見合結婚し、三十七歳で長男を、四十四歳で私を出産した。四十七歳の冬、夫（つまり私の父）が病死した。さぞ途まだ幼い二人の子供をかかえて夫に先立たれた彼女は、さぞ途方に暮れたであろう。だが母には産婆という収入源があった。それに夫が残してくれた小さな文房具店があった。それで何とか子供たちを育てあげ、大学にも入れた。

万代橋西詰めにある市立礎小学校の卒業生なら、知らぬ筈はなかろうと思う。あの小学校のまん前にあったイチマル文房具店こそ、私の実家であり、四十四年間にわたって、〝イチマルのおばあちゃん〟と呼ばれつづけてきた人物こそ、私の母だったのである。

仮通夜の日の夕刻、礎小六年生の子供たちが大きな花束をかかえてやってきて、「おばあちゃんの顔を一目拝ませてくださ い」と言う。話を聞けば、母は毎年、卒業式が近くなると、六年生の児童全員に「卒業おめでとう！　中学に行っても病気なんかせず元気にがんばるんだよ！」

そう言いながらノートなどの文房具をお祝いにプレゼントしていたらしい。六年生たちは六年生たちで、記念に絵を描いたり、工作を作ったりしたものを母のところに持参し、かわいらしいお返しをしていたという。長年にわたって母と子供たちとの間に、そのような季節の行事というか、ほほえましいエールの交換が行われていたことを私は知らなかった。

母は今年も、卒業祝いを子供たちに早々とあげていたようである。そのお返しに何がいいかと、子供たちもそろそろ考え始めていたのだが、その矢先、母は急死してしまった。お返しをあげそびれてしまった。子供たちは残念でならない。無念でならない。考えた末に、それぞれのポケットからなけなしの小遣いを出し合い、花屋に行った。

「せめて、これをおばあちゃんに…」

子供たちは激しくすすり泣きながら、大きな花束をさしだすのである。

葬式が終わって二週間ほどが過ぎたある日、兄から一冊のノートが届けられた。礎小学校六年生一同が書いてくれた『イチマルのおばあちゃんの思い出』である。誰に命令されたわけではなく、子供たちが自発的にしかも一所懸命書いてくれた作文集で、涙なしに読めるものではない。例えばS君の作文。

「たまに僕が文房具を買いに行くと、ガムやアメなどをたくさんおまけしてくれました。よく、あんた今何年生？　大きくなったねえ…と、声をかけてくれました。もっとおばあちゃんといろんな話がしたかったです。そしてありがとうございましたとひとこと言いたかったです」

Hさんの作文はこうだ。

「しわしわした顔が笑うと、くしゃっとなった元気なおばあちゃんでした。いただいたノートのお礼を言いに行ったら、そうかい、卒業かい。さびしくなるねえ、でも良かったねえ、と言ってくれました。私の中学校の制服姿をあのおばあちゃんに一目見せてあげたかったです」

母の天職は、赤ん坊を取り上げることであった。その赤ん坊がすくすく成長してゆくのを見るのが、何よりの喜びであった。だから小学校前の文具店主というのも、彼女にぴったりのもう一つの天職であったのだろう。小さな子供たちから慕われつつ生き、そして死んだ、母の生涯であった。

花ざかりの海
（420×595 mm）

épisode.11

子供の命名

子供の日が近い。それで思い出したのだが、例の悪魔くんは
元気に育っているだろうか。
「個性的な名前でいいじゃない」

「将来、子供がかわいそうだ」

などと賛否両論。そして長男に悪魔と名付けて日本中に悪魔くん命名騒動をまきおこしたあの父親は、今頃どうしているのだろう。彼は写真週刊誌のインタビューに答えて、悪魔と命名したことには現実的な理由もあったと言っている。

「一度、聞いたら絶対忘れない。世の中に名前を売るのは大変だと思う…」

あるアイドルグループを四十億円もの宣伝費を投じて売り出そうとした、そんな例を引きながら父親はつづける。

「うちの悪魔にはもうすでにそれくらいの宣伝効果があったと思います。この力は大きい」

だが父親は結局、悪魔くんの名前をとりさげてしまった。では、

「悪魔の次の新しい名前は何ていうの？」

いろんな人々に尋ねてみたが、誰一人知っている者はいない。ということは悪魔くんほどには印象的ではない、もっとはっきり言えば、あまり宣伝効果も期待できない、ごく普通の名前を付けられた公算が大きい。わずか数カ月の間にこの赤ちゃん、日本一有名な悪魔くんから無名のだれかちゃんに激変したことになる。

＊

しかしこの騒動のおかげで、悪魔くんに勝るとも劣らない珍名奇名が日本中にたくさんあることがわかったのは面白かった。阪神タイガースファンの親が名付けた大賀寿（たいがーす）、手塚治虫ファンが名付けた亜富（あとむ）、自動車好きが名付けた豊田世梨花（せりか）、原爆、水爆という兄弟もいると聞いて仰天した。

一橋大学の言語学の先生で『モンゴル―民族と自由』という著書もある田中克彦氏は図書四月号で「悪魔くんに思う」とい

う興味深い随想を書いておられる。それによるとモンゴルには悪魔くん以上の珍名があまたあるらしい。次にその一部を紹介してみると、

フンビシ　人でなし

ヘンチビシ　誰でもない

ネルグイ　名無し

モーオヒン　悪い娘

バースト　うんこまみれ

悪魔という意味のチュトグルもちゃんとあるというから脱帽してしまう。田中氏曰く、〝名というものは、モンゴルの例が示しているように、「いい名」が不幸を呼んだり、「悪い名」が守りになったりするという神秘なものだ。それを日本では徳目にあわせて自己規制するように求められるから、ますますハンコで押したような非個性的で無性格なものになって行く。この

ことは、あらかじめ「いいことば」と「悪いことば」とをきめておき、悪いことばは使わないようにしましょうという、お役所ふう差別語狩りのもう一つの面である。悪魔くんは「おりこうさん」しか許さない、日本的サベツの網に敏感にとらえられてしまい、ついにその誕生を全うすることができなかったのである。〃

＊

子供に名前を付ける時、親は愛情、夢や期待、希望など様々な思いをその名前に込めようとするものである。親の人生観、世界観、思想や哲学、宗教や信条、美学や趣味などと同時に、その時代の社会的政治的文化的環境や幸福観が、名付けに大きな影響を与えていることは言うまでもない。

さて、私の場合はどうであったか。昔、長男が生まれた時、何日も徹夜するくらい真剣に考えた。というのは、子供の出産にあたって父親がしてあげられることは、良い名付けくらいのものであろう、そう思ったからである。

看護婦に抱かれた息子が分娩室から出てきた時、まず気がついたのは、彼の手と足の指がとても長いということであった。もしかすると息子は将来、その長い指を使う職業、ピアニストや弦楽器奏者、あるいは弓道家になるのかもしれない…。そんな思いを込めて〝弦(げん)〟と名付けた。

その息子、弦との会話。

「君の名前がもし悪魔くんだとしたら？」

「困るね。コンプレックスを感じると思う。周囲の人々がどう見るかにもよるけど」

「弦という自分の名前は、どう？」

「気に入っている。覚えやすいし、呼ばれて気持ちが良いし。この名前と二十年間つきあってきて、ありがたいと思っておりますよ」

いつまでも子供だ子供だ、今度はどんな玩具を買わされるのだろうと思っていたその息子が、今年、成人式を迎えた。時のたつのは、本当に早い。

ブリキの兵隊
（420×595 mm）

épisode.12
富岡さんのこと

画家の富岡惣一郎さんが亡くなった。平成五年十一月、赤坂のアトリエで新作を制作中に倒れ、東京女子医大病院に入院し、療養中であった。しかし富岡さんは順調に回復しており、

たぶん六月頃には退院できるだろう…。そんな噂を耳にしていた矢先でもあったので、訃報に接しても信じることがどうしてもできず、ただただ呆然とするばかりであった。

風邪のウィルスが脳に入り少々こじれたというのが、入院した直接の理由であった。年末のある日、妻と共にお見舞いに行ったが、見た目にはすこぶる元気そうであった。土産に晩白柚を持参した。ゆずの一種ではあるが、赤ん坊の頭くらいの大きさがあり、良い香りがして、昔から邪気を払う果物とも言われている。

「大きいねえ。まるで命のかたまりだねえ」

ベッドから半身を起こした富岡さんは、驚いたような表情でそう呟いた。

年が明け、富岡さん夫妻から年賀状が届いた。「いただいたものを窓辺に飾って新年を祝っております。おかげで殺風景な病室が、うんと明るくなりました…」。

＊

二月に私の母が急死した。享年九十一。天寿を全うしたようなものではあるが、どんな高齢であろうと母の死は母の死。私は精神的にも肉体的にも、予期せぬほどダメージを受けてしまった。

私の父が四十二歳で病死した時、私は二歳だった。したがって私には父の記憶というものが全くない。そのせいだろうか、幼い頃からファザー・コンプレックスの如きものが心の底にあって、作家・森敦さんと出会った時も、文字通り父親のように敬愛したのだった。その森さんも五年前に亡くなった。

母の葬儀が終わり、一段落した頃、入院中の富岡さんと電話で会話する機会があった。がっかりしてものも喉（のど）を通らぬくらい沈んでいた私は、富岡さんの言葉にどれだけ励まされ勇気づ

良 寛 桜
（420×595 mm）

けられたかわからない。その言葉を聞いているうちに私はふと思った。そうか。たしかに母は亡くなったが、ありがたいことに電話線のすぐ向こう側に、もう一人の父親のような人がちゃんといてくれるではないか、だからこそ私はこんなことも言ったのだ。

「これから一所懸命、富岡さん孝行をしますから、せいぜい長生きしてくださいよ！」

するとと富岡さんは、

「大丈夫、大丈夫。わたしは当分、死ぬつもりはありませんから。ハッハッハ…」

いかにも愉快そうに、そう言って笑うのである。

＊

富岡さんは日本の画家にしては珍しく、テーマ主義の画家であった。雪国、桂林、銀山湖から始まって信濃川、流氷、湖、氷河、やがて花火、水、風、雲と、そのテーマはどんどん発展してきた。そして最晩年に取り組んだのが星、月、太陽、宇宙であった。

平成五年秋、アトリエを訪問した折、制作途中の作品群を見せてもらったことがある。二百号のキャンバスいっぱいに漆黒の宇宙が広がり、無数の星たちが煌（きら）めいている。眺めているうちに画面の奥に吸い込まれ、まるで自分が宇宙空間に漂っているような眩惑（げんわく）を覚えた。世界の美術史に記憶されてよい。空前にして絶後の独創芸術がそこにあった。

五月三十一日夜、急逝。享年七十二。急を知って赤坂に駆けつけると、富岡さんはアトリエの床に横たわっていた。まだ描きがけのキャンバス、星シリーズの作品群が富岡さんの遺体を四方から取り囲み、泣いているようであった。富岡さんが愛した良寛の一句。

ちるさくら
のこるさくらも
ちるさくら

昇天し、自ら星となり月となり、ついに宇宙そのものとなった富岡さんの御冥福をお祈りしたいと思う。合掌。

épisode.13
ハイジに出会う旅

久しぶりで本を出した。と言っても小説ではなく、『ハイジ紀行―ふたりで行くアルプスの少女ハイジの旅』(講談社文庫)という写真紀行文集で、新井紀子、つまりわが妻との共著である。

彼女は八歳の時『ハイジ』を読んで感動し、ハイジに憧れ、ハイジのように生きたい、そしていつの日にか物語の舞台となったスイスを訪れたいと夢見た。山野を自由自在に駈け回る日本のハイジ目ざして東京農工大学に進み、牛や豚を飼育したり稲作に関する研究を始めたまでは良かったが、世の中とはなかなか思い通りには行かぬもの。

大学二年の冬、私と知り合ったばかりに卒業と同時に結婚。日本のハイジどころかサラリーマンの妻となり、しかも次々に生まれた子供の子育てに忙殺されてスイス旅行どころではない。そのうえ同居していた父親が発病し、入退院を繰り返すようになった。父親が亡くなると、今度は母親が発病し、自宅で看病するようになった。その母親も数年前に亡くなった。思えば結婚以来、子供と夫と親の世話に明け暮れて、ゆっくり眠るひまもない日々の連続であったが、母として妻として老いた親を持つ子として、やるべきことは全てやり尽くした。思いのこすことは何もない。

しかし、ふと立ち止まり深呼吸を一つして、青空を見上げたとたん、とても大切なことをまだやりのこしていることに気がついた。それは、夢だ。少女時代から抱きつづけてきた夢だ。

「そうだ。今こそスイスへ行こう！　アルプスの少女ハイジに逢いに行こう！」

夫婦でスイス旅行をしたのは、平成五年夏のことである。夫の罪ほろぼしというわけではなかったが、荷物運搬人として私も同行した。妻にとって長年の夢であったアルム山にも登ったし、ハイジの泉にも行った。だが、何よりも忘れがたい思い出となったのは、作者ヨハンナ・シュピーリ夫人の生地と墓地を訪れたことである。『ハイジ』は誰でも知っている。しかし作者シュピーリ夫人のことを、どれだけの人々が知っているだろう。

マイエンフェルト村の窓
（420×595 mm）

シュピーリ夫人は一八二七年、チューリヒの南二十キロメートルにある山村ヒルツェルに生まれた。父は医者、母は宗教詩人だった。二十五歳で結婚。田舎からチューリヒに移住し、都会生活が始まった。夫は弁護士でスイス連邦新聞の編集長でもあった。多忙である。帰宅時間も遅い。孤独感をつのらせた夫人は、一時期ノイローゼにもなりかけたらしい。

夫人が四十一歳の時、夫は市の官房長官になった。夫はますます多忙となり、妻は暇をもてあまして手紙ばかり書いていた。手紙をもらった友人の一人が、「あなたの手紙はなんて面白いんでしょう。ねえ、小説でも書いて出版してみない。その売上金を社会奉仕活動に寄付してくれるとありがたいんだけど…」。

友人の言葉にさそわれて処女作を出版したのが、四十四歳の時。そして『ハイジ』を出版したのは、五十三歳の時であった。

さて、突然の不幸が五十九歳の彼女を襲った。一人息子を肺結核で失い、その涙が乾かぬうちに夫も急逝してしまう。この人生最大の不幸から、からくも立ち直れたのは文学のおかげだった。二年後、児童文学作家としてカムバックすると、数々の物語を執筆し、一九〇一年、七十四歳で永眠した。

＊

全くプライベートの旅だったが、スイスから帰国すると出版社から文章の依頼があり、私が撮影した写真と合わせて、このたびの『ハイジ紀行』出版となった。妻にとって生まれて初めての著書ということになる。

「今度は児童文学も書いてみようかしら」

彼女が日本のシュピーリ夫人になって、日本の『ハイジ』を書くようになるかどうか、それは誰にもわからない。だが、彼女が少女時代から書きつづけてきた夢の実現＝ハイジに出会う旅とは、どうやら彼女自身に出会う旅でもあったようである。

épisode.14

アジアの暑い夏

この夏は、第一回新潟アジア文化祭に参加するため久しぶりに帰省した。プログラムを開くと、李御寧（イー・オリョン）さんや木村尚三郎さんの講演から佐渡、タイ、中国、韓国、イ

ンドネシアの民族伝統芸能にいたるまで、もりだくさんの内容である。だがなんといっても圧巻は、三波春夫さんの講演「アジアのうたの道」であった。言うまでもなく三波さんは新潟県が生んだ国民的歌手であるが、歌と同様、話芸の方もこれほど天才的な方だとは知らなかった。日本の歴史、とりわけ平家物語の時代にかたむけられた蘊蓄(うんちく)は並大抵のものではなく、聞いていてまことに面白く飽きることがなかった。時おり歌もまじえて淀(よど)みなく語りつづける三波さんの声は、よく響く若々しい声で、七十二歳という年齢がとても信じられないのである。

三波さんのあとに私が登壇し、マリ・クリスティーヌさんやパーカッショニストの高田みどりさんたちとアジアの多様性について座談した。最後に、司会者から「一言どうぞ」と言われてしゃべったのが概略次のようなもの。

「皆さんは日常ごく気軽に〝アジア〟という言葉を使っていま

クワズイモの葉
（420×595 mm）

すが、誰がこの言葉を発明し使い始めたかご存知ですか？　そもそもこの言葉は、古代ギリシャ人たちがエーゲ海の対岸地帯を指して使っていた地名なのです。つまりアジアとは、海の向こう側ということ。ヨーロッパの東側に広がる野蛮で進歩の遅れた非ヨーロッパ地帯という意味だったのです。ところが飽くことのない成長欲求によって宇宙船地球号の自然環境をめちゃくちゃに破壊したのは、誰あろう合理精神と進歩至上主義を標榜してきたヨーロッパの思想でした。このいわば足し算の思想にブレーキをかけ、加減を取ることによって地球全体の平安と幸福を実現してくれるのは、もしかすると引き算と共生のアジア的思想かもしれません。二十一世紀をあえてアジアの時代と呼ぶ所以であります…」

＊

翌日は墓参りをした。菩提寺である蒲原浄光寺を訪れ、墓前に花を供え経をあげてもらった。かんかん照りの炎天下、微風ひとつ吹かない。記録破りの猛暑で、ただ立っているだけで全身から汗が滴り落ちる。平成五年まではいつも母とともに墓参りしたのだった。その母も平成六年二月、九十一歳で亡くなり、今は眼前の墓の下に眠っている。この世も暑いが、あの世もさぞかし暑かろうと、井戸水を汲んできて墓石の上からかけてやる。庫裏に上がり、住職の蒲原霊秀さん、夫人の霊朝さんとしばらく世間話をした。

寺町から護国神社まで歩いた。安吾の丘にのぼり、松林ごしに日本海を遠望した。佐渡の黒影がよく見えた。それから足の向くまま気の向くままぶらぶら行くと、會津八一記念館の前に出た。高名な歌人であり書家であり、すぐれた東洋美術史学者でもあった八一は、明治十四年新潟市古町に生まれ、昭和三十一年、七十六歳で没している。郷土が誇る大先達を顕彰するこの記念館ができたのは、かれこれもう二十年も昔のことになるが、「そのうち、そのうち」と思うばかりで足が向かず、歳月ばかりが過ぎて今日に至った。これも何かのご縁であろうか。積年の思いをとげる好機とばかり、記念館の扉を開いた。

清廉な館内には八一の原稿とともに、表札、看板、暖簾（のれん）、団扇（うちわ）など八一の書をもとにして作られた日常用具などが展示されていて興味深かった。硝子ケースの中を覗（のぞ）いていたら、学芸員の近藤さんが声をかけてくれて丁寧な解説をしてくれた。少年時代の八一は習字が苦手で、教師から「お前ほど下手な字を書く奴（やつ）はいない」と叱られたという話には笑った。

「ふるさとの　ふるへのやなぎ　はがくれに　ゆふべのふねの
　ものかしぐころ」

自由闊（かっ）達な八一の書には、植物のつよさとやさしさが感じられる。良寛の書を見た時にも同種の感慨をもったことを思い出した。

épisode.15
幸福の条件

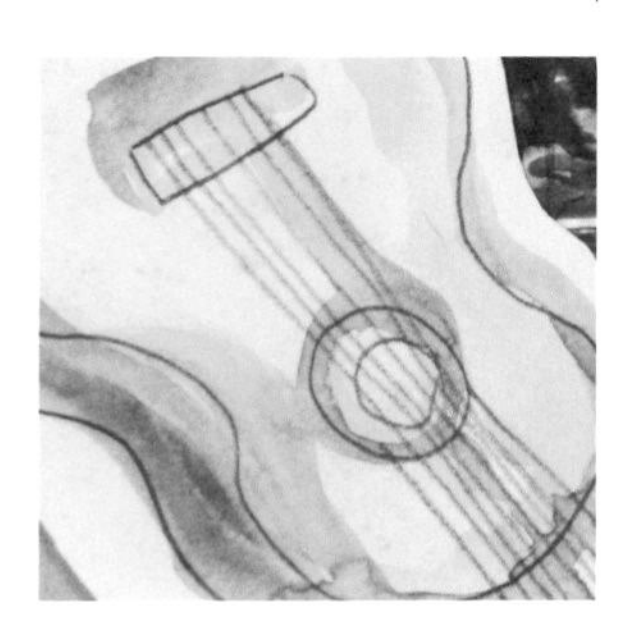

有馬の観光協会から「文化フォーラムを開催するから、基調講演をしてくれないか」という依頼がきた。有馬と言えば、草津、道後と並ぶ日本最古の温泉町ではないか。行楽温泉地と文

化フォーラムのイメージがうまく結びつかなかったので問い返すと、主催者を代表してやってきた青年曰く、

「遅れてますねえ…」

二十世紀末を生きる我々現代日本人にとって温泉とは何か？　それはもはや行楽の二文字に象徴されるような古めかしいものではなくて、健康とバランスのとれたライフスタイルを目ざしながら、人類と地球環境大自然との共生について思いを馳せるアーバン・リゾートなのですよ。どうかアライさん、一夕、岩風呂にポチャンとつかりながら、今回のテーマ〝本当の心の豊かさ〟について考えていただき、気楽に講演して下さいませんか。そう言うのである。

＊

会場にあてられた神戸市立有馬小学校記念講堂へ行くと、ざっと五百人ほどの聴衆が集まっていた。〝幸福の条件〟と題

した話を一時間半ほどしゃべることにした。何が満足されれば人は幸福と感じるのか。

「幸福になるための条件は、三つあります」

私はそう言いながら黒板に大書した。

一　朝、健康で目ざめること。

二　昼、ちゃんと食べ物があること。

三　夜、安眠できること。

要するに、肉体が健康で、飢えずに暮らせるだけの物質的豊かさがあって、精神的にも健康であるならば、私たちは十分幸福なのだという考え方である。「そんな簡単な条件なら、とうの昔に満たしているさ」と胸を張る向きも多いだろう。「だが、それでもなお幸福感が感じられないから困ってるんだよ」と顔を暗くする人々も多いに違いない。

「十分幸福な筈(はず)なのに、ちっとも幸福感が感じられない」と

寒月黙鳥
（395×510 mm）

ころにこそ、現代日本人の〝不幸〟があると思うのだが、いかがであろうか。

＊

講演を終えて宿に戻った。浴衣に着替え、手拭をぶら下げて、温泉につかりに行く。露天風呂である。ポチャン。私以外に人影はない。白い湯気の向こうに見えるのは六甲の山なみ。緑の美しいこと。だんだん長閑で幸福な気分になってくる。なるほど、これが自然との共生というやつであったか…。

風呂上がりのほてった身体を脱衣室の扇風機にさらして涼んでいると、正面の壁に貼り紙がしてある。〝十の少法〟と読める。どうやら当館の主人・増田兵右衛門さんの文字らしいが、いたく感心してしまった。書き写してきたので次にご紹介してみよう。

一　少食　多噛

二　少肉　多菜
三　少塩　多酢
四　少糖　多果
五　少煩　多眠
六　少衣　多浴
七　少車　多歩
八　少言　多行
九　少忿（ふん）　多笑
十　少欲　多施

少ない言葉ながら、意味するところは多く、味わいがある。

一から四までは、保健学的に考えても栄養学的に考えても理は十分にありそうだ。温泉に来て六の「少衣　多浴」の文句に出逢（あ）うと、観光協会のキャッチフレーズのようにも見えてきて、つい笑ってしまうが、その通りだから仕方がない。「少車　多歩」を合わせて、以上六つの少法を実行するならば、医者いらずの健康生活がおくれそうである。

残る四つの少法は、精神の健康について言及したのだろう。それにしても世の中には智恵ある人がいたものである。〝幸福の条件〟についてしゃべりに行ったら、逆に〝有馬温泉流幸福の条件〟を教わってしまった。

épisode.16
鳥海山のある町

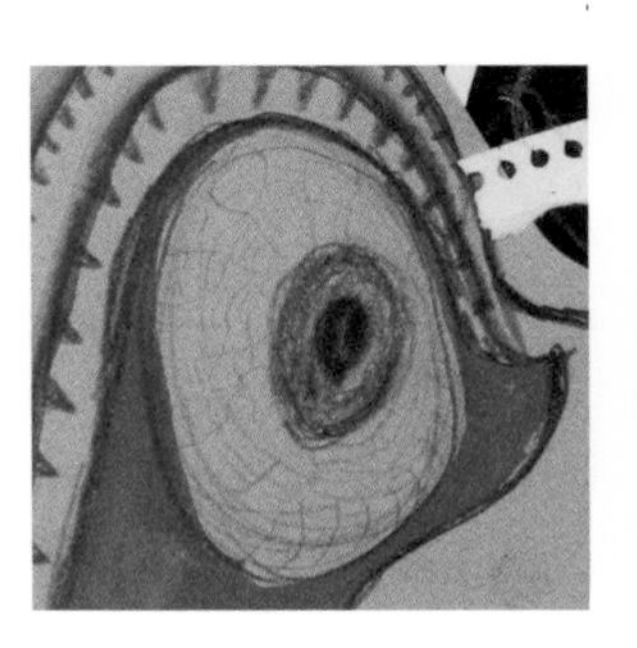

私にとってあらゆる表現活動の出発点となったのは、今から二十年前に発表した『組曲・月山』というＬＰレコードであった。小説『月山』によって第七十回芥川賞を受賞されたばかり

の作家・森敦さんと出逢い、様々な偶然のつみかさなりの果てに、シンガー・ソングライターとなってしまった顚末は、回想録『森敦——月に還った人』(文芸春秋)に詳しく書いたので今は省くが、もし森さんに出会っていなかったならば、現在の私はなかったろうと思う。

全十曲から成る『組曲・月山』は、小説『月山』から抜粋した十カ所の文章に、私がメロディーを付けて歌唱したのだ。ある時はフォークやロック、またある時は声明や御詠歌と、曲想は色々に変化しながらも、森さんが書いた小説の原文だけは一字一句変わることなく歌われるので、「平家物語」を歌った琵琶法師の伝統が二十世紀末の現代に蘇った、などと評されたものである。

さて、このレコードが発表されてしばらくたった頃のこと、森さんから電話が入り、「新井さん、『組曲・月山』ができたからといって、安心してはいけませんよ」

と、おっしゃる。私は首をかしげながら、その理由を問い返すと、

「まだ『組曲・鳥海山』が残っているではありませんか」

ご存知のように、死の山・月山を描いた小説『月山』と、生の山・鳥海山を描いた小説『鳥海山』とは、森文学初期の二大傑作なのである。しかもこの二作は、いわば一対の対偶関係にあって、どちらが欠けても完全とは言い難い。ここはひとつ、なんとしてでも新井さんにもうひとふんばり頑張ってもらって、残りの半分である『組曲・鳥海山』を作ってもらわなければ僕は困る、森さんはそう言って笑うのだった。

私はただちに作曲にとりかかった。小説『鳥海山』を何度となく読み返し、十カ所の文章を抜粋した。それぞれの文章に三カ月ほどかけて作曲し、やがて全十曲からなる『組曲・鳥海山』

飛べない鳥
（420×595 mm）

を完成させた。ギター一本の伴奏で私が歌うテストテープも作った。だが、どうしてもレコード化することができない。いくらはたらきかけてもレコード会社は、「組曲・鳥海山」のレコード化に賛成してくれないのである。そのうち森さんは、心を残しながらお亡くなりになってしまった。

＊

歳月が流れた。山形県飽海郡遊佐町というところから招かれて講演をしに行ったのは、平成五年夏のことである。講演終了後、町長の小野寺喜一郎さんと一夕、酒を酌み交わした。その折、小野寺さんはこんなことを言う。

「町のイメージソングを作りたいんです」

「ほお、どんな？」

「わが町のシンボルは実は鳥海山なんです。あまりＰＲしていないので県内の人々にもまだ知られていません。もし鳥海山の歌があったなら、それを町歌にできるんですがねえ」

聞いて驚いた。あの鳥海山とはまぎれもなく遊佐町に聳え立つ山であり、海抜二二三〇メートルの山頂には〝遊佐町鳥海山一番地〟という番地まで付けられているのだという。その瞬間、私が忘却の彼方にあった『組曲・鳥海山』の存在を思い起こしたのは言うまでもない。後日、二十年前に作ったまま埃にまみれていたテストテープを送ると、

「これこそ捜し求めていた歌です」

さっそく町役場は、組曲中の巻頭曲を私の歌唱でレコーディングし、カセットテープにして町民に配ることになった。そればかりではない。とうとうこの秋にはCDにして全国発売するという。遊佐町のイメージソング『遥かなる鳥海山』がどれほど人口に膾炙するかは不明だが、この町と出逢ったおかげでどうやら森敦さんとの約束を果たせそうである。

épisode.17
帰ってきた星の王子さま

平成五年夏、コルシカ島に行ったときのこと。島の北東部にあるフォレリー村で海水浴をしたのだが、案内をしてくれた画家をしているフランスの友人が、地中海の水平線を眺めながら

ぽつりとこんなことを呟いた。

「そういえば『星の王子さま』が出版されてから、もう五十一年になります」

しばらくしてから、また口を開き、

「その作者が行方不明になってからが、ちょうど平成六年で五十年目…」

『星の王子さま』といえば世界中でもっとも有名な物語の一つだが、その作者サン＝テグジュペリのこととなると、さてどれほどの人々が知っているだろう。

彼は一九〇〇年、フランスのリヨンに生まれた。昔の人の年齢を計算するのは面倒なものだが、区切りの良い年に生まれた彼の場合は、便利なことに西暦がそのまま年齢になる。生きていれば今年（一九九四年）、九十四歳になるわけだ。

彼が初めて空を飛んだのは十二歳のとき。以来、飛行機が病みつきとなり、二十一歳で本物の飛行士になった。二十九歳で『南方郵便機』を、三十一歳で『夜間飛行』を出版した。三十九歳で『人間の土地』を、四十二歳で『戦う操縦士』を出版した。恐らく歴史上初の空飛ぶ小説家だった。

『星の王子さま』を出版したのは四十三歳のときで、当時、祖国フランスはナチス・ドイツの占領下にあった。アメリカに亡命していた彼は、「祖国を愛することは戦いに参加することである」という信念のもと、再び戦場に向かうことを決心した。地中海方面アメリカ空軍司令官に原隊復帰を何度となく請願し、ようやく許可がおりたのが一九四四年五月だった。同年六月四日、サルディニア島基地にある33―2偵察飛行大隊に復帰。七月十七日、同大隊はコルシカ島にあるボルゴ基地に移動。七月三十一日、朝八時四十五分、彼はグルノーブル方面の航空写真を撮影する任務を帯びて、双胴単座のＰ38ライトニング機に乗り込み飛び立った。そうして帰途、地中海上でレーダーから消えた。

「ほら、あそこですよ…」

フランスの友人は眼(め)の隅に少し悲しい色をうかべて、指をさした。サン＝テグジュペリが飛び立ったボルゴ基地は、私たちが海水浴をしている岬のすぐ隣にあったのである。

＊

平成五年十一月、新聞にこんな記事が出ていた。

「海に眠る『星の王子さま』の父　墜落機？探知機に反応　南仏沖」第二次大戦中に行方不明になっていたサン＝テグジュペリの搭乗機を捜索していたフランス海洋開発研究所が、ついに同機の手がかりを発見したというのだ。

すわ、遺体引き上げか、と世界中の耳目を集めたが、遺族からの要請で、引き上げは行われないことになった。したがってサン＝テグジュペリは、現在もそしてこれからも行方不明のまま地球の空のどこかを飛びつづけることとなった。その方が、ずっと彼らしい。

＊

久しぶりでフランスの友人と再会した。

「おみやげです」

彼が差し出した掌に新しい五十フラン札がある。首をかしげていると、

「よく見てください、星の王子さまとその父が、お札になって帰ってきたんですよ」

見ればなるほど、札の表にはサン＝テグジュペリの肖像画、プロペラ機、象を呑み込んだ蛇、札の裏には星の王子さまと飛行機が色あざやかに印刷されている。あまりにカラフル過ぎて、まるで玩具の札のようだ。

「正真正銘、本物のお札なんですが、つい最近、ミス・プリントが見つかりましてね……」

ＳＡＩＮＴ＝ＥＸＵＰＥＲＹという名前には二つのＥがある。二番目のＥだけに付けるべきアクセントを、仏国立銀行は間違って最初のＥの上にも付けてしまった。ともかく小さなアクセントの勲章を付けて、星の王子さまとその父は帰ってきてくれたのである。

大切なものは眼には見えない
（420×595 mm）

épisode.18

葱買て帰る（ねぎこう）

「一年が終わろうとしている。今年の夏は、冷夏であった。うんざりするくらい雨が降りつづいて…」

こんな文章を当欄に書いたのが、ちょうど一年前の今頃で、あれから一年がまた過ぎてしまった。もっとも今夏は昨年とは大違いで、記録破りの暑さだった。これほど暑い夏は子供の頃以来であった。しかも雨が一向に降らず、全国各地で水不足や水道の断水騒ぎが起きた。これまた長雨に苦しめられた昨夏からは予想もつかぬことであった。

予想もつかぬといえば、人間の生死も同様で、今年（平成六年）は母を亡くした。九十一歳の高齢だったので寿命がきたと言えなくもないが、

「わたしゃね、百歳まで生きるよ」

そのように豪語してはばからぬ元気な人だったから、私はみっともないほどうろたえた。母の生前は毎日のように電話を入れていた。それが長年の習慣になっていて、つい先日も「そろそろ電話しなくちゃあ」と無意識のうちに電話機に手が伸びていた。故郷の実家にダイヤルすれば、今でも母の声が聞こえ

てくるような気がしてならない。

＊

年の暮れである。どんな一年であったか少し振り返ってみよう。（一月）長崎にて日本ペンクラブ平和の日・記者会見。（二月）ノルウェー旅行。冬季オリンピック閉会式で行われた長野デモンストレーション総合プロデューサーとして最終リハーサルに立ち合う。母死去。（三月）トミオカホワイト美術館にて講演。〝エリック・サティと私〟。（四月）次女が高校に入学。母の納骨。（五月）銀座プランタンにて〝オンフルールの少年・写真展〟開催。富岡惣一郎氏急逝。（六月）新津にて第二回安吾大学パネルディスカッション。坂口綱男、手塚真の両氏と。NHK衛星テレビのシンポジウム〝メディア新世紀〟堺屋太一氏と。妻との共著『ハイジ紀行』出版。発売直後に〝徹子の部屋〟に出演したせいか、この写真紀行文集、私の本にしては珍しく売れ行きが良い。現在、四刷。（七月）小説『ヴェクサシオン』の文春文庫版を出版。姫路にて講演。姫路文学館主催、〝ハイジに出会う旅〟。吉行淳之介氏死去。ニューオータニ美術館にて講演。〝ラウル・デュフィと私〟。（八月）新潟にて第一回アジア文化祭・リレートーク出演。三波春夫氏と。山形県朝日村にて第十四回月山祭参加。（九月）すばる文学賞選考会。豊栄にて講演。〝富岡惣一郎氏を偲ぶ〟。（十月）ＮＨＫ衛星テレビ生紀行・私の文学散歩〝坂口安吾〟出演。宮崎にて〝二十一世紀のライフスタイル〟講演。（十一月）上越にて上越市立総合博物館主催〝トミオカホワイトの世界〟講演。（十二月）歌唱したＣＤ〝遥かなる鳥海山〟発売。

雑誌や新聞で多くの人々と対談した。次にお名前をあげてみると、三枝成彰、高野悦子、ＮＴＴデータ社長の藤田史郎、田辺聖子、池田満寿夫、長野オリンピック組織委員会委員長の斎藤英四郎、羽田澄子、内館牧子、浅利慶太、山際淳司、檀ふみ、司修、スキーの荻原健司の各氏。また毎週日曜日にはハマラジ・FM横浜で、〝アライマンの海辺の生活〟という音楽トーク番組を放送しているが、これにも多彩なゲストが登場してくれた。五木寛之、山本容子、辻仁成、岸恵子、出久根達郎、浅井慎平、わたせせいぞう、ハイファイセットの山本潤子、高橋アキ、さだまさしの各氏。こうしてみると、私はほぼ一年中、実に様々な人々と会っておしゃべりしていたことになる。どうりで疲れるわけだ。いやはやなんとも。

＊

一年の疲れを癒やすためにも、年末年始は次のような蕪村の心境になりたいと思う。

葱買て（ねぎこうて）
　枯木の中を帰りけり

139　葱買て帰る

冬ざれた道を寒さに凍えながら帰ってゆく。だがそこには、ささやかではあるが家族と葱の煮えるあたたかな生活が待っている。

西暦2000年1月のカレンダーとシクラメン
(420×595 mm)

épisode.19
吉行淳之介さんの机

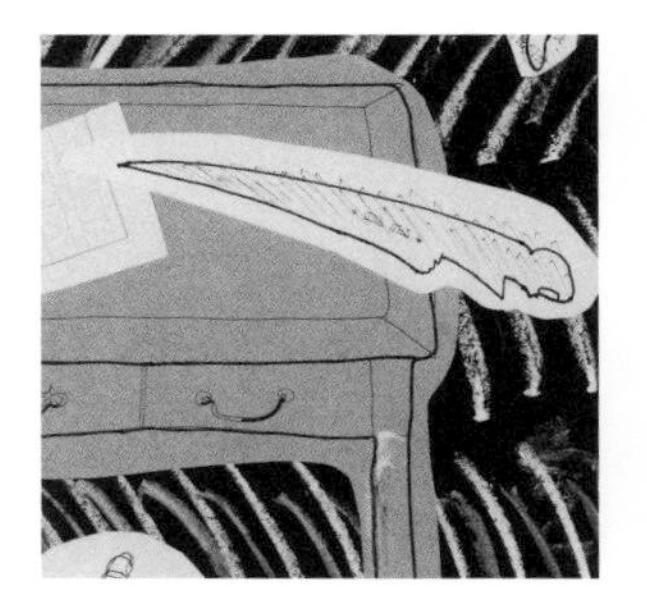

宮城まり子さんから本と手紙が届いた。本というのは吉行淳之介著『夢の車輪・パウル・クレーと十二の幻想』（文芸春秋）で、手紙には次のように書かれてあった。

「暑い夏の日でございましたのに、もう、冬になりました。淳之介さんの好きな絵の〝パウル・クレーと十二の幻想〟を復刻していただきました。私の心を少し入れさせていただきお送りいたします。あの日は、暑すぎて申しわけなかったナ。彼が心配しているのが、毎日きこえます。

宮城まり子」

＊

吉行淳之介さんが亡くなったのは、平成六年、七月二十六日火曜日のことである。私は昔から吉行さんの文章が好きで、小説もエッセイも熱心によく読んだ。描写は正確で無駄なところが少しもない。それでいながら読者のイメージを深層から強く喚起してくる、そのような文体に魅(ひ)かれたからである。

と同時に、創作の方法にも共感するものがあった。例えば冒頭の本は、クレーの絵に触発されて生まれた掌篇小説集だし、ドビュッシーの音楽を聴きながら『夕暮まで』という傑作を執筆したのは有名な話。文学、音楽、絵画など、種々様々な表現ジャンルのひとつだけに自閉するのではなく、それらのはざまに横たわる境界線上を、自在に交通しながら創作をつづけた吉行さんのような作家は、日本では珍しいと思う。

生前の吉行さんとは一回だけお目にかかった。文字通り一期一会であった。郵便物はハガキを三通、封書を一通いただいた。普通の封書ではなかった。原稿用紙に書かれた手紙である。

月刊文芸春秋に吉行さん追悼の文章を書くことになった。私は、まり子さんにお願いした。「吉行さんの手紙を、吉行さんが書いたであろう書斎の机の上に置き、撮影させていただけませんか。その写真と共に追悼文を載せたいのです…」ありがたいことに、まり子さんが快諾してくれたので、私は撮影機材をかついで、吉行・宮城邸におもむいた。

机が見る夢
（420×595 mm）

✳

吉行さんの書斎兼寝室に、いったいどれくらいの時間いたのだろう。二時間か三時間、いや、もっと長くいたような気がする。吉行さんが使っていた机の上には、吉行さん愛用の文房具や小物が、生前と同じように置かれていた。そのことを少し書こうと思う。

まず、机。さぞかし大きく立派な机であろうと予想して行ったら、違った。書斎机ではなく、意外にも食卓机なのである。スプーンやフォークを入れるべき引き出しに、名刺や薬や眼鏡が入っていた。

机の上には六〇ワットのスタンドと、四〇ワットのスタンド。（なぜ二つもあるのだろう？）小さな硝子瓶（がらすびん）の中には、たくさんのゼムクリップ。色紙（いろがみ）を入れたボール箱。ものさしと温度計を入れた黒皮の筆立。木製のペイパーナイフがあった。アフリカあたりの土産であろうか。先端部分が猿の顔に彫られている。Bの三菱鉛筆が、ざっと二十本。全部、消しゴム付きというのが興味深い。DEMAINとしるされた木製の紙バサミは、山口淑子さんからのプレゼントだという。細長い桐箱があった。時計とか宝石とか、いかにも大切なものが入っていそうである。恐る恐る蓋を開けてみたら、消しゴムとボタンが入っていた。

一番目を引いたのはレター入れである。どうやら手作りらしい。あざやかなブルー地に、黒色の丸いかたちがたくさん浮かんでいる。これはねむの木学園の子供が描いた『水の赤ちゃん』という絵をポスターにしたものだという。吉行さんがいたく気に入って、貼りつけたらしい。レター入れの内側には〝なかたよしえ〟と、制作者名が記されている。

「画家に対する礼儀だよなァ…」

糊(のり)とハサミを持った吉行さんは、そう言いながらいかにも楽しげに工作したという。

épisode.20

トラウマとＰＴＳＤ

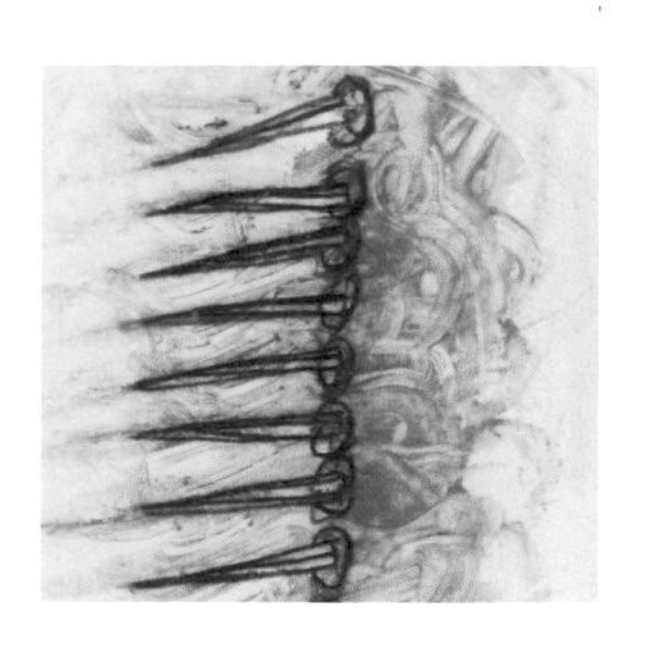

新潟に生まれ育ち、東京で大学生活をおくったあと、就職して関西に移り住んだ。やがて結婚し、神戸で所帯を持った。約十年暮した神戸は、私にとって第二の故郷と言ってもよい。そ

の神戸で、まさかの大地震が起きてしまった。

私たち夫婦が新婚生活をおくったのは神戸市東灘区深江北町というところで、阪神高速道路が約五百メートルにわたって横倒しになった、あのすぐ傍にあった。間借りしていた二階家は全壊。今年（平成七年）八十八歳になる家主のＭさんは生き埋めになったが、近所の人々によって助け出され九死に一生を得た。しかし、芦屋に住む知人のＨさんは、家屋の下敷になって死んだ。まだ三十五歳の若さだというのに。

神戸には、たくさんの友人たちがいる。生田神社の宮司Ｋさんの家は全壊。彫刻家Ｓさんのアトリエも全壊。Ｓさんは父親を亡くされた。デザイナーのＮさん、写真家のＴさん、ピアニストのＯさん、その他多くの友人たちはどうしているのだろう。調べてはいるのだが避難先が特定できず今もって消息がわからない。

＊

多くの新潟市民は、三十年前の新潟地震を経験している筈である。一九六四年（昭和三十九年）六月一日、マグニチュード七・五。天地創造をほうふつとさせる地割れが大地を走り、昭和大橋は落ち、原油タンクは爆発炎上し三百六十時間燃えつづけた。私は当時、高校三年生で、恐怖に震えながら帰宅すると、我家は泥水の底に沈んでいた。

地震が怖いものであることは言うまでもない。だが、本当に怖いものは地震のあとからやってきた。余震もおさまり、「どうやら命だけは助かったな…」と胸をなでおろした頃から、夢を見始めた。奇妙な夢だった。シュールレアリスムの芸術家マン・レイ（一八九〇―一九七六年）に『贈りもの』という作品がある。アイロン台の底面に、全部で十四本の釘を付けただけのオブジェだが、これとそっくりな形のものが毎晩のように夢

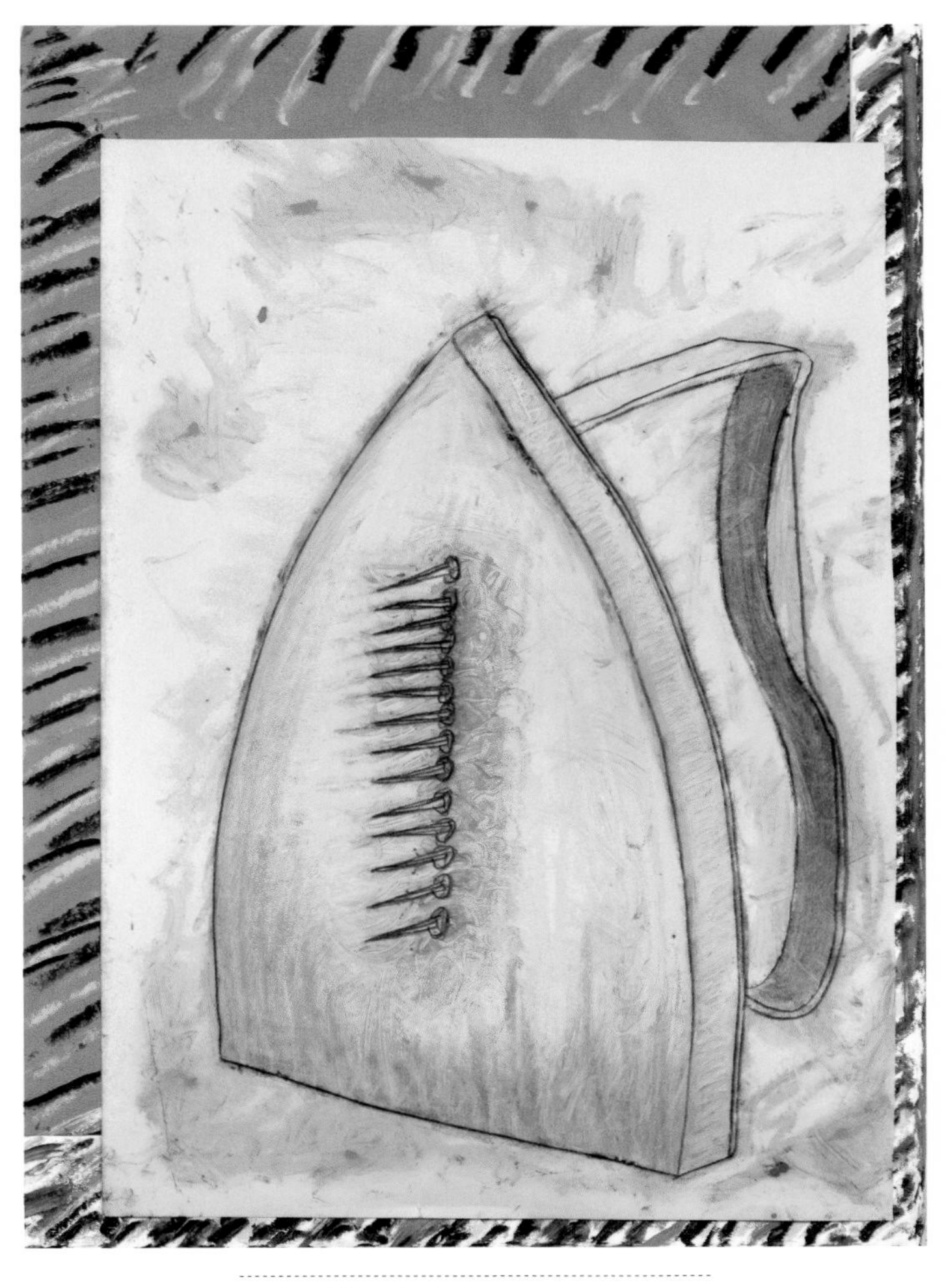

棘の生えたアイロン
(420×595 mm)

の中にあらわれる。喉の奥、胃や腸、そればかりか細い血管の中までも、棘の生えたアイロンのお化けが駈けめぐるのだ。

地震からちょうど一年後、私は腹部に激痛を覚え、救急車で入院した。開腹手術を受けたが、中は血の海だった。かろうじて一命はとりとめたものの、術後の経過が悪く、結局、入学したばかりの大学を一年間休学することになった。八十キログラム近くあった体重は半減し、幽霊のように痩せ細った。高校時代の同級生と、よく街ですれ違った。だが、誰一人として声をかけてはくれない。私の顔と身体が、あまりに変わりはてていたからである。

＊

振りかえって思えば、こういうことだったのだろう。新潟地震の恐怖によって、私は〝心の傷〟をおったのだ。これを〝トラウマ・精神的外傷〟と呼ぶ人もいる。トラウマは、目には見えない。だからそれだけよけい厄介なのである。地震を体験した新潟市民を苦しめたのは不安感、疲労感、苛立ち、無力感、虚無感、そして絶望感であった。これらは皆、トラウマの落とし子で、〝ＰＴＳＤ（精神的外傷後ストレス症候群）〟とも言う。不安程度で終わればまだ良いが、私の場合ＰＴＳＤは、一年後に急性十二指腸潰瘍にまで増長してしまった。心の傷は、いつしか体の傷と化し、命まで奪おうとする。

　私が心配でならないのは、このことなのである。神戸には、下着から水なしシャンプーまで考えられる限りの物資を送った。義援金も送った。しかし、神戸の人々が受けたであろう心の傷は一体どうしたらよいのか。棘の生えたアイロンのお化けは、どうやって退治したらよいのか、私にはわからない。なすすべもなく立ち尽くし、今はただ祈るばかりである。

　どうか、神戸の方々のトラウマが、そしてＰＴＳＤが軽く済みますように。

épisode.21

牧之と馬琴

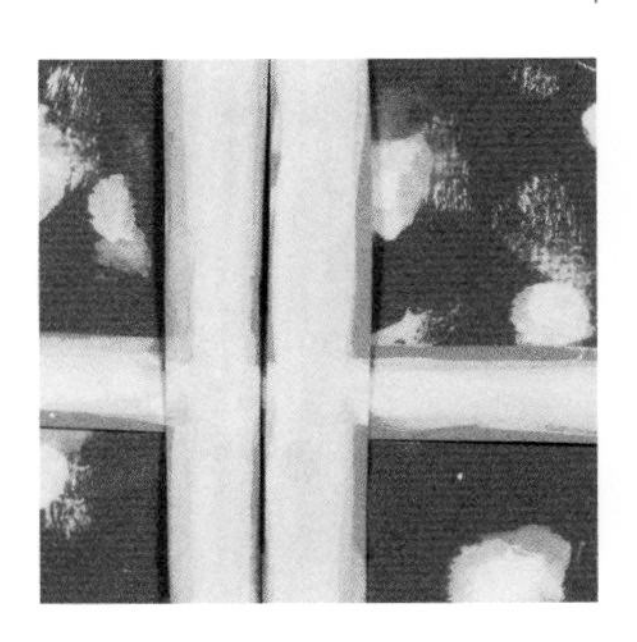

先日、ＮＨＫ総合テレビの番組『ライバル日本史』にゲスト出演した。当夜のテーマは〝越後の文人・江戸に挑戦―牧之と馬琴―〟というもので、雪について書かれた世界的名著『北越

雪譜』の作者・鈴木牧之（一七七〇―一八四七年）と滝沢馬琴との交流にスポットを当てた興味深い内容であった。

越後塩沢の縮仲買商人・牧之が初めて江戸を訪れたのは、十九歳のとき。たちまち彼はカルチャーショックを受ける。豪雪地帯である自分のふるさとが全く知られておらず、雪そのものも美しく誤解されていることに気がついたからである。江戸の人々は、雪が降ってくると風流と感じ、喜んで雪見酒を飲もうとする。雪は軽いものと信じて疑う者もいない。ところが現実はその反対で、屋根から雪おろしをしなければ家をつぶしてしまうくらい重く厄介なしろものなのである。

「我が里の名をあまねく世に及ぼさん」

雪と縮の里・塩沢の姿を正しく世の中に伝えようと、二十歳の牧之は雪の本を執筆し出版することを決心する。

＊

ところがこの出版が、なかなか容易なことではなかった。出版元との仲介者が次々病死するという不運も重なって、あっというまに二十年が過ぎてしまう。牧之（四十九歳）は、藁をも掴む思いで馬琴（五十二歳）に頼み込む。

当時『南総里見八犬伝』を執筆中であった大流行作家・馬琴は、地方に在住する素人作家・牧之に次のような忠告を書き送る。

一、タイトルにこだわりなさい。

二、文体は「俗が七分、雅が三分」。

三、あまり雪の話ばかりでは飽きられます。もっとバラエティーにとんだ内容にすること。

馬琴はいわばベストセラー製造の三条件を伝授しようとしたわけである。

「どう思われますか…？」

司会者が感想を求めてきた。「馬琴のアドバイスは現在も有効だと思う。とりわけ最初の条件には大いに共感する」と答えた。

文章を書く際、私がもっとも気を配るのはタイトルである。必死の思いで、タイトル探しをする。その結果、魅力あるタイトルが見つかったときには、作品内容のできも格段に良くなるものである。

やがて出版ということになる。その折、もっとも苦心するのは装丁と装画である。そんなふうに言うとすぐに「外見よりは、中身だ！」と文句が出そうだが、そうではない。中身と同様に外見の方も、決しておろそかにできぬくらい大切なものなのだ。

素裸で街を歩く人間はいないだろう。書籍も原稿用紙のまま書店に並べるわけにはいかない。人間に衣服がいるように、本にも衣裳がいるのだ。では、どんな衣裳を本に着せるべきか。そこに装丁が登場する。

派手派手しく目立ったタイトルや装丁が良いと言っているのではない。ひかえめながらも存在感があり、品格を感じさせるものであること。すぐれたタイトルを冠され、気持ち良く装丁された本。書店の棚に並べられた無数の本の中から、私たちがまず手にとるのは、そのような本ではなかろうか。

＊

さて、雪の本が『北越雪譜』というタイトルで出版されたのは、天保八年のことであった。このとき牧之は、六十八歳。出版を決意してから、実に四十年を費やしたことになる。しかも馬琴ではなく山東京山の手によって。

この四十年をどう評価するか？　意見のわかれるところだが、私はこう考えている。江戸出版界に翻弄されながらも遂に大願成就できた背景には、商人と文人、二足のわらじをはきつづけることによって生まれた経済的余裕が大きく貢献したに違いない。そして何よりも私たちを勇気づけるのは、内容の独創性こそが最後に勝つのであって、だからこそ出版以来百六十年後の現在も大ロングセラーとなって読みつがれているということである。

蛍のひかり　窓のゆき
（420×595 mm）

épisode.22

大いなる人

二年間の約束でスタートしたこの連載エッセイも、早いもので丸二年。今回をもって最終回にしたいと思う。読者の皆さんには心から感謝します。長いあいだのおつきあい、本当にあり

がとうございました。

毎月、原稿を書きながら、挿絵の方も描かせてもらった。絵を描くのは高校の美術の時間以来の体験で、苦労もしたが、それ以上に楽しくもあった。夢中で描いていたら、いつのまにか朝になっていたこともしばしばだった。それでいて少しも疲れを感じない。執筆で徹夜などすると、ガタガタに疲れるというのに。どうやら文章と絵画とでは、使用する脳細胞の場所が違うらしい。

新聞紙上に掲載された挿絵は白黒で、八×十二センチ程度に縮小されていたが、原画の方はもっと大きく四〇×六〇センチはあり、しかも色がついている。これまで描いてきた数十点を家中の壁に飾ってみたら、その時々のあれこれが懐かしく蘇ってきた。挿絵の仕事は一段落したが、絵画の作品づくりはこれからもつづきそうな気がする。

＊

さて『髭とパラソル』の〝髭〟とは男性のこと、〝パラソル〟とは女性のこと。人生の途上で出会った魅力ある様々な人々について書いてきたが、連載の掉尾(とうび)を飾っていただくのは斎藤英四郎さんである。新潟市出身の斎藤さんは、新日鉄の会長や経団連の会長をつとめられ、文字通り我が国経済界の頂点をきわめた人物として知らぬ者とてないわけだが、そればかりではない。いよいよ三年後にせまった長野冬季オリンピック組織委員会の会長として、ますます精力的な毎日なのである。

その斎藤さんの年齢が八十二歳と知った時は、一瞬我が耳を疑った。〈どうして、これほどまで若々しいのだろう。斎藤さんの若さと情熱は、一体どこからくるのか。その秘密は、どこにあるのだろう…〉私なりに考えた結果、ようやく探りあてたのが一つの講演であった。どうやらこの講演の中に、秘密を解く鍵が隠されているらしい。

三年前の秋、斎藤さんは母校・新潟高校に招かれ、創立百周年の記念講演をされた。その折、幸福ということに言及して、

「大切なことは、皆が心に普遍的な〝愛〟を持ちつづけることではないでしょうか」

と説かれた。親や兄弟や友人や国…、それぞれに対する愛こそが、全ての人間模様を織りなす縦糸と横糸となる。そして〝愛ある人〟とは、自分のことと同じように他人のことを考えてあげられる度量を持った人、即ち〝大いなる人〟のことに他ならないとし、少年時代に覚えたという一篇の詩（作者不詳）を紹介するのである。

広野の果ての白雲は　巨人の如き姿もて　五月の空に現われぬ　われは幼き童の　草にまろびて叙事詩をば　悲しく読みてありけるが　雲の巨人は厳しくも　「子よ、大いなる人となれ」

夕べ野を吹く風ありて　雲の巨人は音もなく　ゆれて崩れて失せしかど　五十路をこゆる今も尚　啓示となりて残るなり

＊

初めて目にする詩であったが、一読して私はううむとうなってしまった。雲の巨人が語ったという「大いなる人となれ」とは、どんな意味だろう。まさか世俗的な成功者や有名人になれという意味ではなかろう。愛の心を持ったおおらかな人物になれという叱咤（しった）激励であろう。少年時代から八十二歳の現在に至るまで、斎藤さんは嬉（うれ）しいにつけ悲しいにつけ常にこの詩を愛唱しつづけてきたという。斎藤さんの若さと情熱の源泉は、この詩にあるのではなかろうか。

時は、春。何かが終わり、何かが始まる季節である。社会人一年生として新しい世界に第一歩を踏み出した、若き友たちへ。私はあなた方の健康を祈ると共に、花むけとして、斎藤さんが説いた〝愛〟の言葉と〝大いなる人〟の詩を贈りたいと思う。

雲の上の青い空
(420×595 mm)

作者自身が迷画を解題すると——

「あとがき」に代えて

エッセイのさし絵として
描かれた二十二点の原画が、
どのような意図と
技法で描かれたのか、
次に解説したいと思います。

エピソード1＊「オンフルールの少年」のためのさし絵

『安吾とサティ』

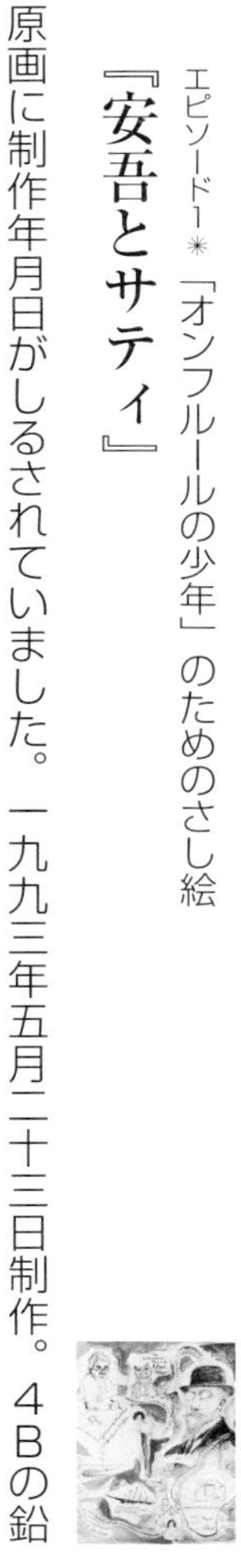

原画に制作年月日がしるされていました。一九九三年五月二十三日制作。４Bの鉛筆、水彩絵具、のりとハサミを使い画用紙を貼りつけて一種のコラージュになっていま

すが、あまり上手ではありません。せめて安吾とサティに寄せる作者の熱い想いを、どうか受けとってあげて下さい。

画面の左上に安吾の姿。安吾の右手が持つ万年筆の先にしるされた文字は、「坂口サティ」。フランス語でしるされた文字の意味は「オンフルールの少年」と「新潟の少年」。その下に万代橋と信濃川。

画面右上にあるのは山高帽子をかぶったエリック・サティの肖像。名前は「エリック・安吾」。サティの身体に重なるようにして、大きな梨（サティのシンボルでもある）が貼りつけられています。その中に安吾碑が貼りつけられています。その下に新潟教会の鐘楼。

画面上方中央に一匹の黒猫。フランス語でル・シャノワール。黒猫の下に左腕と黒い蝙蝠傘。傘の先端から雨のしずくがしたたり落ちています。しずくは黒船の頭上に嵐となって降り落ち、さらにひとつの河となって画面のあちらこちらを大蛇のようにのたうちまわっています。河は当初、セーヌ河と名付けられていましたが、蛇行するうちに信濃川と名を変えます。フランスのセーヌ河と日本の信濃川とは、一本の同じ河だったのです。新潟とオンフルール、安吾とサティとの不思議なご縁を、一枚の絵にしたらこんな絵ができあがりました。

『オンフルールの少年』写真展は、一九九三年（平成五年）六月三日から八日まで、新潟伊勢丹アートホールで開催されました。この時に展示した約七〇点の写真パネルは全て、新潟市に寄贈しました。これを記念して十八年ぶりに写真展が開かれました。二〇一一年一月六日から二月一日まで、新潟市立中央図書館にて。この写真に興味のある読者は、写真集『オンフルールの少年』(マガジンハウス)を見るか、新潟市役所文化政策課におたずね下さい。

エピソード2＊「イブ・モンタンを殺した男」のためのさし絵

『ベネックス邸のベランダから見えるパリ』

一九九三年七月二十五日(日)制作。鉛筆、筆ペン、のりとハサミでコラージュ。フランスの映画監督ベネックスのアトリエを訪れた折、窓から見た風景を再現してみました。空中に浮かんでいるエッフェル塔は、室内にも浮かんでいます。花瓶も女も浮かんでいます。コピーしたものに手彩色しています。

エピソード3＊「ノルウェーで会ったノラ」のためのさし絵

『ムンク美術館のマドンナ』

制作年月日はありません。たぶん一九九三年八月の中旬でしょう。鉛筆、筆ペン、印

刷物やノルウェーから持ち帰った新聞紙の切れはしなどでコラージュ。

画面中央にオスロ湾に落ちる夕日が貼りつけてあります。ムンクの『叫び』で有名な風景です。それを女の首がひややかに眺めています。左手にバイキングの顔がさかさに貼りつけてあり、その下方にバイキングの船。マドンナの髪から無数のおたまじゃくし（精子にも見える）状のものがうごめきながら移動しています。それはやがてノルウェーの伝統的な波紋様を形成しつつ、胎児の身体に流れ込みます。いずれにしても、あまり気持の良い絵ではありませんね。

エピソード4＊「二つの帽子」のためのさし絵

『ジャン・コクトーの空飛ぶ帽子』

一九九三年九月二十四日制作のコラージュ。〝二足の草鞋〟あるいは〝ツー・ハット〟をできるかぎりわかりやすく表現しようとしたらこの絵ができあがりました。二つどころか全部で二十個ほどの帽子が空中に浮かんでいます。いや、もう一個、見つけてしまいました。コクトーの眼球の中に、二十一個目の帽子が浮かんでいます。

エピソード5＊「デュフィの手紙」のためのさし絵

『デュフィの手紙と青いヴァイオリン』

一九九三年十月二十五日（日）制作。ボール紙の上に、鉛筆画や水彩画や手紙や楽譜をのりとハサミで貼りつけたコラージュ。手紙というのは、デュフィが書いた本物の手紙のこと。それをコピーして手彩色しました。デュフィは趣味でヴァイオリンをひきました。プロ級の腕前だったそうです。

エピソード6＊「月子の運命」のためのさし絵

『月子の肖像』

制作年月日はありません。たぶん一九九三年の十一月中旬でしょう。茶色の画用紙に描かれた水彩画です。珍しくコラージュではありません。顔のまわりに、月子のデータがしるされています。ボディサイズは43センチであること。尻尾の長さは13センチ、鼻の高さは7センチ、舌の長さは9センチ、誕生日は一九八九年九月十七日で、本名はビアンカ。前脚の長さは9センチ、後脚が8センチ、黒色の長毛。生きがいは寝ること、食べること、そして散歩すること。ダメ犬月子が世界最初のＤＪ犬になったのですか

ら、運命とはわからないものであります。

エピソード7＊「正月の準備」のためのさし絵

『零からの出発』

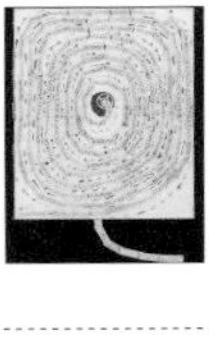

一九九三年十二月九日制作。黒色のボード上に白い画用紙を貼りつけ、その上に無数の付箋がセロテープでとめられています。付箋の表面には数字がしるされています。昔、数字を書き込みながら気が遠くなりかけたことを思い出しました。一日がかりの作業でした。数字つきの付箋は渦をまきながら宇宙空間のブラックホールに吸い込まれてゆき、再びもどってきます。時間というものを表現したかったのだと思います。

『般若心経』は空哲学を説いています。空とは何か？　変化することです。万物は変化した末に亡びる…。これが〝色即是空〟の意味です。十八年間のあいだにセロテープが劣化してはがれてきて、付箋が取れかかっています。

〈面白いなあ、実に面白い…〉

私はそう考えています。時間の経過と共にゆっくり壊れてゆき、やがて亡んでしまう絵だなんて、素敵だと思います。〝色即是空〟を形にしたら、こんな絵になるのではないでしょうか。

エピソード8＊「月とすっぽん」のためのさし絵

『耳の大きな自画像』

一九九三年十二月二十五日（土）制作。黒色のボード上に画用紙を貼りつけた鉛筆画。この絵を見るたびに、気持が悪くなります。こんなひどい顔をしていたのかと、絶望的な気分になります。自分が描いたのだから、誰にも文句は言えないのだけれど、いやはやなんとも。

エピソード9＊「リレハンメルに咲く花」のためのさし絵

『スペースオペラの開幕』

一九九四年二月二十日（日）制作。黒いボード上に青い画用紙。包装紙や英文雑誌の切りぬきをのりとハサミでコラージュ。宇宙空間でタクトを振っているうしろ姿の指揮者は、小澤征爾さんのつもりです。

エピソード10＊「母親の職業」のためのさし絵

『花ざかりの海』

一九九四年三月二十四日制作。灰色のボード上に様々な色や形の色紙を貼りつけたコラージュ。母親が急逝したのが二月二十四日でしたから、それからちょうど一ヵ月後にこの絵を描いたことになります。

母親の死によって私は根底から打ちのめされてしまいました。断崖から海中に墜落し、一万メートルの海底まで沈んでゆくと、こんな光景が広がっていたのです。イソギンチャクのような花がゆらりゆらりと怪しく揺れています。〈これを母親の枕花にしよう〉と私は思いました。

エピソード11＊「子供の命名」のためのさし絵

『ブリキの兵隊』

一九九四年四月二十四日（日）制作。灰色のボード上に紙を四枚貼りつけました。筆ペンと手彩色。我家の書斎の片隅にブリキでできた玩具の兵隊が置かれています。執筆に疲れるとゼンマイを回して歩かせます。兵隊はブリキの太鼓をコンコン鳴らしながら二メートルほど行進します。その兵隊をスケッチしました。

エピソード12＊「富岡さんのこと」のためのさし絵

『良寛桜』

一九九四年六月十九日（日）制作。黒色ボード上に大小様々な色紙を貼りつけました。桜の花びらが風に吹かれてはらはらと散ってゆく様子を絵にしたのです。桜の花びらは必ず散ります。散らない花びらは、ひとつもありません。だから「のこるさくらもちるさくら」なのです。〝おむかえ〟はきっと来ます。しかしその時までは、せいいっぱい楽しく咲いておりましょう。

エピソード13＊「ハイジに出会う旅」のためのさし絵

『マイエンフェルト村の窓』

一九九四年七月二十三日（土）制作。黒色のボード上に折り紙状のものがセロテープで貼りつけられています。絵というより工作に近いかもしれません。窓は開閉することができますし、本物のレースのカーテンがたれ下がっています。『ハイジ』の作者、ヨハンナ・シュピーリ女史のふるさとは、マイエンフェルト村です。小さくて静かで夢のような村でした。

エピソード14＊「アジアの暑い夏」のためのさし絵

『クワズイモの葉』

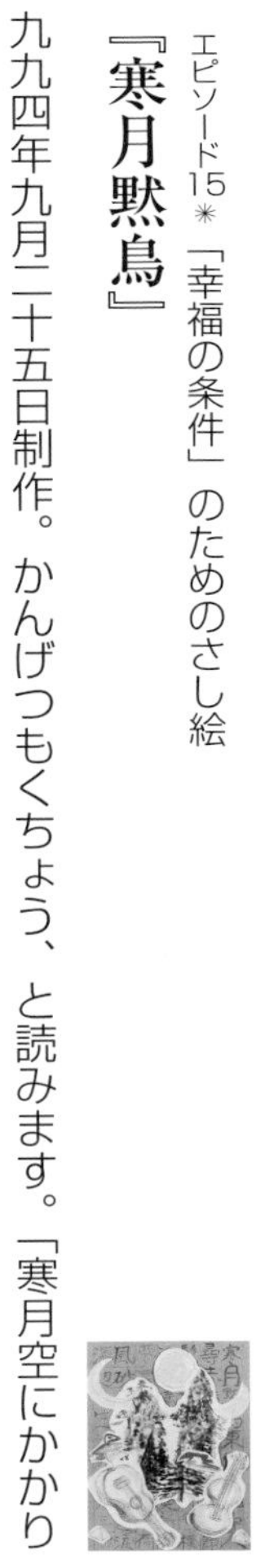

一九九四年八月二十六日（金）制作。黒色のボード上に紙を四枚ほど貼りつけました。原画の裏面にこんな詩のようなものがしるされています。

クワズイモの葉
葉の上の朝露
朝露が映す全世界
朝露の中の全宇宙

エピソード15＊「幸福の条件」のためのさし絵

『寒月黙鳥』

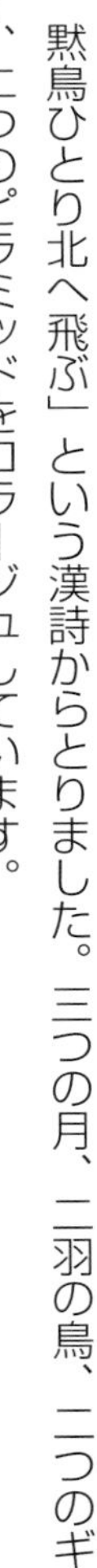

一九九四年九月二十五日制作。かんげつもくちょう、と読みます。「寒月空にかかりて　黙鳥ひとり北へ飛ぶ」という漢詩からとりました。三つの月、二羽の鳥、二つのギター、二つのピラミッドをコラージュしています。

エピソード16＊「鳥海山のある町」のためのさし絵

『飛べない鳥』

一九九四年十月二十二日（土）制作。黒色のボード上に鳥の顔を貼りつけてみました。眼球がリアルなので、鳥というより爬虫類のようです。一九七〇年大阪万博のインド館に鳥の仮面が展示されていました。〈欲しい。どうしても欲しい…〉と私は思いました。その想いが通じたのでしょう。万博も今日でおしまいという日に、インド館の館長からゆずり受けてきたのです。あれから四十年、飛べない鳥の仮面は、現在も我家の書斎で全世界をギロリとにらみつけています。

エピソード17＊「帰ってきた星の王子さま」のためのさし絵

『大切なものは眼には見えない』

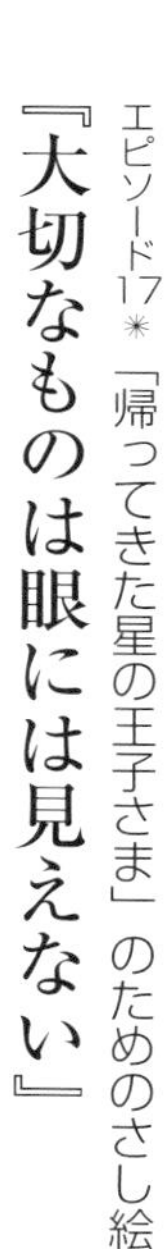

一九九四年十一月十九日（土）制作。カラーコピーしたフランスの五〇フラン紙幣をのりとハサミでコラージュしています。右下に小さく貼りつけてあるのは、コルシカ島独立運動のシンボルマークです。サン＝テグジュペリはコルシカ島のボルゴ基地から飛行機で飛び立ち、消息をたったのでした。

エピソード18＊「葱買て帰る」のためのさし絵

『西暦2000年1月のカレンダーとシクラメン』

一九九四年十二月二十一日（水）制作。九四年の師走に、なぜ私は五年後のカレンダーの絵を描いたりしたのでしょう。二十世紀最後の年の一月。今となっては本人の私にも謎です。クレヨン画。

エピソード19＊「吉行淳之介さんの机」のためのさし絵

『机が見る夢』

一九九五年一月二十六日（木）制作。黒色のボード上に様々な道具を描いた紙をのりで貼りつけました。ピンクの机、原稿用紙、ライト、椅子、ペンチ、ランプ、鉛筆立てと鉛筆が二本、レターばさみなどなど。吉行さんの書斎にあった机は、文豪ではなく少年が坐ると似合いそうな机でした。

エピソード20＊「トラウマとPTSD」のためのさし絵

『棘の生えたアイロン』

一九九五年二月十四日制作。パステル画に手彩色したものです。マン・レイがエリック・サティに触発されて制作した有名なオブジェを、スケッチしてみました。かなり不気味です。自画像に匹敵する気持悪さと言わねばなりません。

エピソード21＊「牧之と馬琴」のためのさし絵

『蛍のひかり　窓のゆき』

一九九五年三月二十六日（日）制作。ブルーグリーン色のボードに、白い絵具で雪を降らせてみました。その上にボール紙製の窓を貼りつけてあります。雪は、家の外にも家の中にもしんしんと降りつもります。

エピソード22＊「大いなる人」のためのさし絵

『雲の上の青い空』

一九九五年四月二十四日（月）制作。青色のボード上に白い紙をちぎって貼りつけま

した。私たち人間は、雲の下で暮らしています。雲の下にあるのは何でしょう。競争と欲望と嫉妬とたたかいです。いらだちと不安と絶望です。私はふと立ち止まり、イマジネーションをはたらかせることがあります。空を仰いで、想像するのです。

〈あの灰色の雲の上には、一体何があるのだろう〉

灰色の雲の上には、いつもまっ青な空が広がっています。苦しい時、悲しい時、あまりのつらさにくじけそうになった時、私はいつも立ち止まっては雲を仰ぎ、雲の上に広がる青い空を想像してきました。たぶん、これからも。

二〇一一年（平成二十三年）二月

新井　満

新井　満（あらい・まん）

作家、作詩作曲家。

1946年新潟市生まれ。

1988年『尋ね人の時間』で芥川賞を受賞。

2003年11月に発表した写真詩集『千の風になって』（講談社）と、それに曲を付け自ら歌唱したCD『千の風になって』（ポニーキャニオン）は現在もロングセラーを続けている。

同曲で2007年日本レコード大賞作曲賞を受賞。

最新のCDアルバム『風神』（ポニーキャニオン）には「千の風になって」「この街で」「富士山」「万葉恋歌　ああ君待つと」など代表曲が収められている。

著書多数。近著に『自由訳　般若心経』（朝日新聞出版）、『死の授業』（講談社）、『良寛さんの愛語』（考古堂）などがある。

髭（ひげ）とパラソル

2011（平成23）年４月１日　初版第１刷発行

著　者　　新　井　　満
発行者　　五十嵐　敏雄
発行所　　新潟日報事業社
〒951-8131　新潟市中央区白山浦2-645-54
TEL　025－233－2100
FAX　025－230－1833
印刷所　　新高速印刷株式会社

ISBN978-4-86132-440-6